Wa
Italiaans

Samengesteld door Van Dale Lexicografie bv

KOSMOS TAALGIDS

UTRECHT/ANTWERPEN

ANWB alarmcentrale: 00 31 70 3141414
Rechtstreeks te bereiken vanuit een groot aantal netten. Nummer in zijn geheel draaien zonder tussentijds wachten op kiestoon.
Nederlandse ambassade: Via Michele Mercati 8, 00197 Roma, tel. (06) 3221141 t/m 3221145
Nederlandse Consulaten: Via XII ottobre 2, 16121 Genua, tel. 566838; Via San Vittore 45, 20123 Milano, tel. 48011723; Via Agostino Depetris 114, 80133 Napels, tel. 5513003.
Belgische ambassade: Via dei Monti Parioli 49, Rome, tel. 3609441
Belgisch Consulaat-Generaal: Via A. Vespucci 2, Milaan, tel. 6592531

49e, geheel gewijzigde druk, 1992
© Uitgeverij Kosmos bv – Utrecht/Antwerpen
  Van Dale Lexicografie bv – Utrecht/Antwerpen
  Vormgeving: Karel van Laar
  Tekeningen: Richard Flohr
  ISBN 90 215 1828 7
  D/1992/0108/060
  NUGI 471
  CIP

Inhoudsopgave

Woord vooraf

Deze nieuwe editie van de vertrouwde **Wat & Hoe Italiaans** is in samenwerking met Van Dale Lexicografie aanmerkelijk verbeterd. De hele tekst is ingrijpend gewijzigd en aangepast aan het moderne toerisme. U kunt nu bijvoorbeeld *benzina senza piombo* (loodvrije benzine) betalen met uw *carta di credito* (creditcard) en er is meer aandacht besteed aan het reizen met kinderen (kinderstoel, pretpark). Deze taalgids biedt u uitkomst in verschillende situaties. Met de gids in de hand zult u er zeker in slagen om duidelijk te maken wat u bedoelt. In veel gevallen echter zal uw gesprekspartner dan reageren met een vraag of opmerking. En wat dan? U verstaat immers geen Italiaans?

In de gids vindt u per situatie een groot aantal mogelijke **antwoorden** (met de Nederlandse vertaling), die u aan uw gesprekspartner kunt voorleggen. Bijvoorbeeld: u vraagt om een treinkaartje naar X en de lokettist reageert met een wedervraag. Als u hem de gids voorhoudt, zal hij aanwijzen wat hij bedoelde, bijvoorbeeld: *Enkele reis of retour?* of *Met hoeveel personen reist u?* Ook kunt u met deze gids **eigen zinnen maken** met behulp van de woordenlijst achterin.

In veel gevallen hebt u te maken met Italiaanse opschriften of korte teksten die u wilt begrijpen. Denk aan een menukaart of het weerbericht in de krant. In veel hoofdstukjes is daarom een **alfabetische lijst van Italiaanse termen** opgenomen.

Bovendien kunt u, aan de hand van de **beknopte grammatica**, deze gids ook gebruiken als een eerste hulpmiddel bij het leren van de Italiaanse taal. Tenslotte vindt u in en achter op deze **Wat & Hoe**-gids handige lijstjes met uitdrukkingen die in aanmerking komen om uit het hoofd geleerd te worden. In de tekst staan regelmatig woorden die eindigen op *o/a*. Welke vorm gebruikt moet worden, hangt af van het geslacht: mannelijk -*o* en vrouwelijk -*a*.

Redactie **Wat & Hoe**-taalgidsen

Wat & Hoe-taalgidsen zijn er in de volgende talen:

Arabisch	**Hebreeuws**	**Joegoslavisch**	**Russisch**
Deens	**Hongaars**	**Noors**	**Spaans**
Duits	**Indonesisch**	**Pools**	**Tsjechisch**
Engels	**Italiaans**	**Portugees**	**Turks**
Frans	**Japans**	**Roemeens**	**Zweeds**
Grieks			

We hebben een eigen systeem ontwikkeld, dat in alle **Wat & Hoe**-taalgidsen wordt gebruikt. Het heeft de volgende kenmerken:
- Het is ondubbelzinnig. Daarmee bedoelen we dat één letter altijd één klank weergeeft. In een woord als *welzeker* staat de *e* voor drie verschillende klanken. In het **Wat & Hoe**-systeem zou dit woord worden weergegeven als *welzeekər*.
- Het sluit zo veel mogelijk aan bij het Nederlands, dus er komen zo min mogelijk accenten en vreemde tekens in voor.
- De klemtoon van elk woord is aangegeven door onderstrepingen van de klinker(s).
- Zogenaamde lange klinkers (*aa*, *ee* enzovoort) worden in de uitspraak-weergave altijd geschreven als een dubbele klinker. Zogenaamde korte klinkers worden altijd weergegeven met een enkele klinker, dat wil zeggen: a als in *af*, e als in *mes*, o als in *op*.

De gebruikte letters en symbolen:
ã   als in *croissant*
ə   als de *stomme e* in *de*
ĝ   als in *goal*
r   altijd een tongpunt-*r*, rollend, voor in de mond gevormd
De overige letters klinken precies zo als in het Nederlands.
Dubbele medeklinkers (en de lettergreep ervoor) in het Italiaans dienen langer uitgesproken te worden dan enkele medeklinkers. In de uitspraaknotatie wordt dit aangegeven door een accent grave op de beklemtoonde klinker die eraan voorafgaat: *à*, *è*, *ie*, *òo* enzovoort.

De corresponderende Kosmos-reisgidsen zijn:	
Bologna en de regio Emilia Romagna	**Napels/Capri**
Florence/Siena	**Noorditaliaanse meren**
Golf van Venetië	**en Dolomieten**
Italiaanse Rivièra	**Rome**
Lugano/Locarno	**Rome, eeuwige stad**
	Sardinië
	Sicilië
	Toscane/Umbrië

1 Handige rijtjes

1.1 Vandaag of morgen?

Welke dag is het vandaag?	· Oggi, che giorno è? *òdzjie, kee dzjoornoo e?*
Vandaag is het maandag	· Oggi è lunedì *òdzjie elloeneedie*
— dinsdag	· Oggi è martedì *òdzjie emmaarteedie*
— woensdag	· Oggi è mercoledì *òdzjie emmerkooleedie*
— donderdag	· Oggi è giovedì *òdzjie edzjooveedie*
— vrijdag	· Oggi è venerdì *òdzjie evveenerdie*
— zaterdag	· Oggi è sabato *òdzjie essaabaatoo*
— zondag	· Oggi è domenica *òdzjie eddoomeeniekaa*
in januari	· in gennaio *ien dzjennaajoo*
sinds februari	· da febbraio *daa feebraajoo*
in de lente	· in primavera *ien priemaaveeraa*
in de zomer/'s zomers	· in estate /d'estate *ien estaatee /destaatee*
in de herfst	· in autunno *ien autònoo*
in de winter/'s winters	· in inverno/d'inverno *ien ienvernoo/dienvernoo*
1992	· millenovecentonovantadue *mieleenooveetsjentoonoovaantaadoe-ee*
de 20ste eeuw	· il novecento *iel nooveetsjentoo*

De hoeveelste is het vandaag?	· Quanti ne abbiamo oggi? *kwaantie nee aabjaamoo òdzjie?*
Vandaag is het de 24ste	· Oggi è il ventiquattro *òdzjie e iel veentiekwàatroo*
maandag, 3 november 1992	· lunedì, tre novembre millenovecentonovantadue *loeneedie, tree noovembree mieleenooveetsjentoonoovaantaadoe-ee*
's morgens	· la mattina *laa maatienaa*
's middags	· il pomeriggio *iel poomeeriedzjoo*
's avonds	· la sera *laa seeraa*
's nachts	· la notte *laa nòttee*
vanmorgen	· stamattina *staamaatienaa*
vanmiddag	· oggi pomeriggio *òdzjie poomeeriedzjoo*
vanavond	· stasera *staaseeraa*
vannacht (komende nacht)	· stanotte *staanòttee*
vannacht (afgelopen nacht)	· stanotte *staanòttee*
deze week	· questa settimana *kwestaa seetiemaanaa*
volgende maand	· il mese prossimo *iel meezee pròssiemoo*
vorig jaar	· l'anno scorso *làanoo skoorsoo*
aanstaande ...	· ... prossimo *... pròssiemoo*
over ... dagen/weken/ maanden/jaar	· fra ... giorni/settimane/mesi/anni *fraa ... dzjoornie/seetiemaanee/meezie/ àanie*
... weken geleden	· ... settimane fa *... seetiemaanee faa*
vrije dag	· giorno libero *dzjoornoo liebeeroo*

1.2 Feestdagen

De belangrijkste nationale feestdagen in Italië zijn de volgende:

1 jan.	Capodanno (Nieuwjaarsdag)
6 jan.	Epifania (Driekoningen)
mrt./april	Pasqua (Eerste en Tweede Paasdag)
25 april	Festa della Liberazione (Bevrijdingsdag)
1 mei	Festa del Lavoro (dag van de arbeid)
15 aug.	Ferragosto (Maria Hemelvaart)
1 nov.	Ognissanti (Allerheiligen)
8 dec.	Immacolata Concezione (Maria Onbevlekte Ontvangenis)
25 dec.	Natale (Eerste Kerstdag)
26 dec.	Santo Stefano (Tweede Kerstdag)

Verder zijn er regionale feestdagen en heeft elke gemeente een feestdag, die samenvalt met de naamdag van de beschermheilige van de betreffende stad.

1.3 Hoe laat is het?

Hoe laat is het?
- Che ore sono?
  keeooree soonoo?

Het is 9.00 uur
- Sono le nove
  soonoo lee noovee

— **10.05**
- Sono le dieci e cinque
  soonoo lee die-eetsjie ee tsjienkwee

— **11.15**
- Sono le undici e un quarto
  soonoo lee oendietsjie ee oen kwaartoo

— **12.20**
- E' mezzogiorno e venti
  emmedzoodzjoornoo eeveentie

— **13.30**
- E' l'una e mezza
  elloenaa eemèdzaa

— **14.35**
- Sono le due e trentacinque
  soonoo leedoe-ee eetreentaatsjienkwee

— **15.45**
- Sono le quattro meno un quarto
  soonoo leekwàatroo meenoo oenkwaartoo

— **16.50**
- Sono le cinque meno dieci
  soonoo leetsjienkwee meenoo die-eetsjie

— 12.00 's middags	• E' mezzogiorno
	emmedzoodzjoornoo
— 12.00 's nachts	• E' mezzanotte
	emmedzaanòtte

een half uur	• una mezz'ora
	oenaa medzooraa
Om hoe laat?	• A che ora?
	aa keeooraa?

Hoe laat kan ik langs- komen?	• A che ora potrei venire?
	aa keeooraa pootreij veenieree?
Om ...	• Alle ...
	àalee ...
Na ...	• Dopo le ...
	doopoo lee ...
Voor ...	• Prima delle ...
	priemaa dèllee ...
Tussen ... en ...	• Fra le ... e le ...
	fraa lee ... ee lee ...
Van ... tot ...	• Dalle ... alle ...
	dàalee ... àalee

Over ... minuten	• Fra ... minuti
	fraa ... mienoetie
— ... uur	• Fra ... ore
	fraa ... ooree
— een kwartier	• Fra un quarto d'ora
	fraa oen kwaartoo dooraa
— drie kwartier	• Fra tre quarti d'ora
	fraa tree kwaartie dooraa

te vroeg/laat	• troppo presto/tardi
	tròppoo prestoo/taardie
op tijd	• in orario/puntuale
	ien ooraarieoo/poentwaalee
zomertijd	• ora legale
	ooraa leeĝaalee
wintertijd	• ora invernale
	ooraa ienvernaalee

0	zero	*dzeeroo*
1	uno	*oenoo*
2	due	*doe-ee*
3	tre	*tree*
4	quattro	*kwàatroo*
5	cinque	*tsjienkwee*
6	sei	*sej*
7	sette	*sèttee*
8	otto	*òttoo*
9	nove	*noovee*
10	dieci	*die-eetsjie*
11	undici	*oendietjsie*
12	dodici	*doodietsjie*
13	tredici	*treedietsjie*
14	quattordici	*kwaatoordietsjie*
15	quindici	*kwiendietsjie*
16	sedici	*seedietsjie*
17	diciassette	*dietsjaasèttee*
18	diciotto	*dietsjòttoo*
19	diciannove	*dietsjaanoovee*
20	venti	*veentie*
21	ventuno	*veentoenoo*
22	ventidue	*veentiedoe-ee*
30	trenta	*treentaa*
31	trentuno	*treentoenoo*
32	trentadue	*treentaadoe-ee*
40	quaranta	*kwaaraantaa*
50	cinquanta	*tsjienkwaantaa*
60	sessanta	*seesaantaa*
70	settanta	*seetaantaa*
80	ottanta	*ootaantaa*
90	novanta	*noovaantaa*
100	cento	*tsjentoo*
101	centuno	*tsjentoenoo*
110	centodieci	*tsjentoodie-eetsjie*
120	centoventi	*tsjentooveentie*

200	duecento	*doe-eetsjentoo*
300	trecento	*treetsjentoo*
400	quattrocento	*kwaatrootsjentoo*
500	cinquecento	*tsjienkweetsjentoo*
600	seicento	*sejtsjentoo*
700	settecento	*setteetsjento*
800	ottocento	*ottootsjentoo*
900	novecento	*noovetsjentoo*
1000	mille	*mìelee*
1100	millecento	*mieleetsjentoo*
2000	duemila	*doe-eemielaa*
10.000	diecimila	*die-eetsjiemielaa*
100.000	centomila	*tsjentoomielaa*
miljoen	un milione	*oen mieljoonee*
1e	primo	*priemoo*
2e	secondo	*seekoondoo*
3e	terzo	*tertsoo*
4e	quarto	*kwaartoo*
5e	quinto	*kwientoo*
6e	sesto	*sestoo*
7e	settimo	*sèttiemoo*
8e	ottavo	*ottaavoo*
9e	nono	*noonoo*
10e	decimo	*deetsjiemoo*
11e	undicesimo	*oendietsjeeziemoo*
12e	dodicesimo	*doodietsjeeziemoo*
13e	tredicesimo	*treedietsjeeziemoo*
14e	quattordicesimo	*kwaatoordietsjeeziemoo*
15e	quindicesimo	*kwiendietsjeeziemoo*
16e	sedicesimo	*seedietsjeeziemoo*
17e	diciassettesimo	*dietsjaasetteeziemoo*
18e	diciottesimo	*dietsjooteeziemoo*
19e	diciannovesimo	*dietsjaanooveeziemoo*
20e	ventesimo	*veenteeziemoo*
21e	ventunesimo	*veentoeneeziemoo*
22e	ventiduesimo	*veentiedoe-eeziemo*
30e	trentesimo	*treenteeziemoo*
100e	centesimo	*tsjenteeziemoo*
1000e	millesimo	*mieleeziemoo*

eenmaal	• una volta
	oenaa voltaa
tweemaal	• due volte
	doe-ee voltee
het dubbele	• il doppio
	iel dòopjoo
het driedubbele	• il triplo
	iel trieploo
de helft	• la metà
	laa meetaa
een kwart	• un quarto
	oen kwaartoo
een derde	• un terzo
	oen tertsoo
een paar, een aantal, enkele	• alcuni
	aalkoenie
$2 + 4 = 6$	• due più quattro fa sei
	doe-ee pjoe kwàatroo faa sej
$4 - 2 = 2$	• quattro meno due fa due
	kwàatroo meenoo doe-ee faa doe-ee
$2 \times 4 = 8$	• due per quattro fa otto
	doe-ee per kwàatroo faa òttoo
$4 : 2 = 2$	• quattro diviso due fa due
	kwàatroo dieviezoo doe-ee faa doe-ee
even/oneven	• pari/dispari
	paarie/diespaarie
(in) totaal	• (in) totale
	(ien) tootaalee
6 x 9 (zes bij negen, oppervlaktemaat)	• sei per nove
	sej per noovee

1.5 Het weer

Wordt het mooi/slecht weer?	• Avremo bel/cattivo tempo?
	aavreemoo bel/kaatievoo tempoo?
Wordt het kouder/warmer?	• Farà più freddo/più caldo?
	faaraa pjoe frèedoo/pjoe kaaldoo?
Hoeveel graden wordt het?	• Quanti gradi ci saranno?
	kwaantie ĝraadie tsjiesaaràanoo?

Gaat het regenen?	· Pioverà? *pjooveeraa?*
— stormen?	· Ci sarà una tempesta? *tsjie saaraa oenaa tempestaa?*
— sneeuwen?	· Nevicherà? *neeviekeeraa?*
— vriezen?	· Gelerà? *dzjeeleeraa?*
— dooien?	· Sgelerà? *zdzjeeleeraa?*
— misten?	· Ci sarà la nebbia? *tsjie saaraa laanèebjaa?*
Komt er onweer?	· Avremo un temporale? *aavreemoo oen tempooraalee?*
Het weer slaat om	· Il tempo cambia *iel tempoo kaambjaa*
Het koelt af	· Farà freddo *faaraa frèedoo*
Wat voor weer wordt het vandaag/morgen?	· Che tempo farà oggi/domani? *kee tempoo faaraa òdzjie/doomaanie?*

afoso benauwd	**freddo umido** guur, kil
aspro guur	**fresco** fris
aspro guur	**gelo** vorst
assolato zonnig	**gelo notturno** nachtvorst
bello mooi	**ghiaccio** ijs
brina ijzel	**... gradi (sotto/sopra zero)** ... graden (onder/boven nul)
caldissimo heet	**grandine** hagel
forza del vento moderata/forte/ molto forte windkracht (matig/krachtig/ hard)	**mite** zacht
	monsone moesson

nebbia	**sereno**
mist	onbewolkt
neve	**soffocante**
sneeuw	snikheet
nuvolosità	**soleggíato**
bewolking	zonnig
ondata di caldo	**tempesta**
hittegolf	storm
pioggia	**umido**
regen	nat
poco/più o meno/molto	**uragano**
nuvoloso	orkaan
licht/half/zwaar bewolkt	**vento**
raffiche di vento	wind
rukwinden	**ventoso**
rovescio di pioggia	winderig
regenbui	

1.6 Hier, daar, …

Zie ook 5 *De weg vragen*.

hier/daar	· qui, qua/lì, là
	kwie, kwaa/lie, laa
ergens/nergens	· da qualche parte/da nessuna parte
	daa kwaalkee paartee/daa nessoenaa
	paartee
overal	· dappertutto
	daapeertòetoo
ver weg/dichtbij	· lontano/vicino
	lontaanoo/vietsjienoo
naar rechts/links	· a destra/a sinistra
	aadestraa/aasieniestraa
rechts/links van	· a destra di/a sinistra di
	aadestraa die/aasieniestraa die
rechtdoor	· dritto
	drietoo
via	· per
	peer

in	· in/a
	ien/aa
op	· su/sopra
	soe/soopraa
onder	· sotto
	sòotoo
tegen	· contro
	koontroo
tegenover	· di fronte a
	die froontee aa
naast	· accanto a
	aakaantoo aa
bij	· presso/vicino a
	prèssoo/vietsjienoo aa
voor	· davanti a/dinanzi a
	daavaantie aa/dienaantsie aa
in het midden	· al centro
	aaltsjentroo
naar voren	· avanti
	aavaantie
(naar) beneden	· (in) giù
	(ien) dzjoe
(naar) boven	· (in) su
	(ien) soe
(naar) binnen	· dentro
	deentroo
(naar) buiten	· fuori
	fwoorie
(naar) achter	· (in)dietro
	(ien)die-eetroo
vooraan	· in prima fila/in testa
	ien priemaa fielaa/ien testaa
achteraan	· in fondo/in coda
	ien foondoo/ien koodaa
in het noorden	· nel nord
	neelnord
naar het zuiden	· al sud
	aalsoed
uit het westen	· dall'ovest
	daaloovest
van het oosten	· dell'est
	deelest

1.7 Wat staat er op dat bordje?

Zie 5.3 voor verkeersborden.

a noleggio
  te huur (auto's, bootjes enz.)
	divieto di caccia/pesca
	  verboden te jagen/vissen

acqua calda/fredda
  warm/koud water
	entrata
	  ingang/entree

acqua (non) potabile
  (geen) drinkwater
	esaurito
	  uitverkocht

affittasi
  te huur (huizen, kamers)
	freno d'emergenza
	  noodrem

albergo
  hotel
	fuori uso
	  buiten werking

alt
  stop
	gabinetti
	  w.c.

alta tensione
  hoogspanning
	guasto
	  defect

aperto
  open
	in vendita
	  te koop

attenti al cane
  pas op voor de hond
	informazioni
	  inlichtingen

attenzione
  voorzichtig/let op
	ingresso (libero)
	  (vrije) toegang

biglietteria
  kaartverkoop
	non disturbare/toccare
	  niet storen/aanraken

cambio
  geldwissel(kantoor)
	occupato
	  bezet

carabinieri
  militaire politie
	orario
	  dienstregeling

cassa
  kassa
	ospedale
	  ziekenhuis

chiuso (per ferie/restauro)
  (wegens vakantie/restauratie)
  gesloten
	pedoni
	  voetgangers

completo
  vol/uitverkocht
	pericolo (d'incendio/di morte)
	  (brand-/levens)gevaar

polizia stradale
  verkeerspolitie
pronto soccorso
  eerste hulp (EHBO-post)
riservato
  gereserveerd
sala d'attesa
  wachtzaal
scala (di sicurezza/mobile)
  (brand-/rol)trap
spingere
  duwen
tirare
  trekken
ufficio informazioni turistiche
  VVV
ufficio postale
  postkantoor

uscita (di emergenza)
  (nood)uitgang
vendesi
  te koop
vernice fresca
  pas geverfd
vietato fumare/gettare rifiuti
  verboden te roken/vuil te storten
vietato l'accesso/l'ingresso
  verboden toegang
vigili del fuoco
  brandweer
vigili urbani
  politieagenten

1.8 Telefoonalfabet

a	*aa*	come Ancona	*koomee aangkoonaa*
b	*bie*	come Bologna	*koomee boolonjaa*
c	*tsjie*	come Como	*koomee koomoo*
d	*die*	come Domodossola	*koomee doomoodòssoolaa*
e	*ee*	come Empoli	*koomee eempoolie*
f	*èffee*	come Firenze	*koomee fierentsee*
g	*dzjie*	come Genova	*koomee dzjeenoovaa*
h	*àakaa*	come Hotel	*koomee ootel*
i	*ie*	come Imola	*koomee iemoolaa*
j	*ieloengĝaa*	lunga come Jersey	*loenĝaa koomee dzjersej*
k	*kàapaa*	come Kursaal	*koomee koersaal*
l	*èllee*	come Livorno	*koomee lievornoo*
m	*èmmee*	come Milano	*koomee mielaanoo*
n	*ènnee*	come Napoli	*koomee naapoolie*
o	*oo*	come Otranto	*koomee òttraantoo*
p	*pie*	come Padova	*koomee paadoovaa*
q	*koe*	come Quarto	*koomee kwaartoo*
r	*èrree*	come Roma	*koomee roomaa*
s	*èssee*	come Savona	*koomee saavoonaa*

t	*tie*	come Torino	*k_oo_mee toor_ie_noo*
20 u	*oe*	come Udine	*k_oo_mee _oe_dienee*
v	*voe*	come Venezia	*k_oo_mee veen_ee_tsieaa*
w	*voed_òo_pjaa*	come Washington	*k_oo_mee wosjiengton*
x	*ieks*	come Xeres	*k_oo_mee ks_ee_res*
y	*_ie_psielon*	come York, yacht	*k_oo_mee jork, jot*
z	*dz_ee_taa*	come Zara	*k_oo_mee dz_aa_raa*

1.9 Persoonlijke gegevens

achternaam	· cognome
	koonj_oo_mee
voornaam	· nome
	n_oo_mee
adres (straat/nummer)	· indirizzo (via/numero)
	iendier_ie_tsoo (v_ie_aa/n_oo_meeroo
postcode/woonplaats	· codice postale/residenza
	k_oo_dietsjee post_aa_lee/reezied_e_ntsaa
geslacht (m/v)	· sesso (m/f)
	s_è_ssoo
nationaliteit	· nazionalità/cittadinanza
	naatsieoonaaliet_aa_/tsjietaadien_aa_ntsaa
geboortedatum	· data di nascita
	d_aa_taa die n_aa_sjietaa
geboorteplaats	· luogo di nascita
	lw_oo_goo die n_aa_sjieta
beroep	· professione
	proofessie_oo_nee
burgerlijke staat	· stato civile
	st_aa_too tsjiev_ie_lee
gehuwd/ongehuwd	· coniugato/a/celibe, nubile
	koonjoeĝ_aa_too/aa/tsj_ee_liebee/n_oe_bielee
(aantal) kinderen	· (numero di) figli
	(n_oe_meeroo die) f_ie_ljie
handtekening	· firma
	f_ie_rmaa

2.1 Begroeten

Dag meneer Willemsen · Buongiorno signor Willemsen
bwondzjoornoo sienjoor wielemsen

Dag mevrouw van Dijk · Buongiorno signora van Dijk
bwondzjoornoo sienjooraa vaandejk

Hallo, Peter · Ciao Peter
tsjauw peeter

Hoi, Heleen · Ciao Heleen
tsjauw eeleen

Goedemorgen mevrouw · Buongiorno signora
bwondzjoorno sienjooraa

Goedemiddag meneer · Buongiorno signore
bwondzjoornoo sienjooree

Goedenavond · Buona sera
bwoonnaa seeraa

Goedendag · Buongiorno
bwondzjoornoo

Hoe gaat het ermee? · Come va?
koomeevaa?

Prima, en met u? · Benissimo, e Lei?
bennìesiemoo, eelej?

Uitstekend · In ottima forma
ien òttiemaa foormaa

Niet zo goed · Cosí cosí
koozie koozie

Gaat wel · Non c'è male
non tsjemmaalee

Ik ga maar eens · Me ne vado
meeneevaadoo

Ik moet er vandoor. Er · Devo andarmene. Mi aspettano
wordt op mij gewacht. *deevoo aandaarmeenee. mie aaspèttaanoo*
Dag! · Ciao!
tsjauw!

Tot ziens · Arrivederci/arrivederLa/ci vediamo
*aarieveedeertsjie/aarieveedeerlaa/tsjie
veedieaamoo*

— gauw	• A presto *aaprestoo*
— straks/zo	• A più tardi *aapjoetaardie*
Welterusten	• Sogni d'oro *soonjie dooroo*
Goedenacht	• Buona notte *bwoonaa nòttee*
Het beste	• Tante belle cose *taantee bèllee koozee*
Veel plezier	• Buon divertimento *bwon dievertiementoo*
Veel geluk	• Buona fortuna/in bocca al lupo *bwoonaa fortoenaa/ienbòokaa aaloepoo*
Prettige vakantie	• Buone vacanze/buone ferie *bwoonee vaakaantsee/bwoonee feerie-ee*
Goede reis	• Buon viaggio *bwonvjàadzjoo*
Bedankt, insgelijks	• Grazie, altrettanto *ĝraatsie-ee, aaltreetaantoo*
De groeten aan … (be-leefd)	• Mi saluti … *mie saaloetie …*
De groeten aan … (fami-liair)	• Salutami … *saaloetaamie …*

2.2 Hoe stel je een vraag?

Wie?	• Chi? *kie?*
Wie is dat?	• Chi è? *kieje?*
Wat?	• Che (cosa)? *kee (koozaa)?*
Wat is hier te zien?	• Che c'è da vedere? *keetsje daaveedeeree?*
Wat voor soort hotel is dat?	• Che tipo di albergo è? *kee tiepoo die aalberĝoo e?*
Waar?	• Dove? *doovee?*

galinetto

Waar is het toilet?	· Dov'è il bagno?
	doove ielbaanjoo?
Waar gaat u naar toe?	· Dove va?
	doovee vaa?
Waar komt u vandaan?	· Da dove viene?
	daa doovee vjeenee?
Hoe?	· Come?
	koomee?
Hoe ver is dat?	· Quanto è lontano?
	kwaantoo e lontaanoo?
Hoelang duurt dat?	· Quanto tempo ci vorrà?
	kwaantoo tempoo tsjie vorraa?
Hoelang duurt de reis?	· Quanto tempo durerà il viaggio?
	kwaantoo tempoo doereeraa iel vjàadzjoo?
Hoeveel?	· Quanto?
	kwaantoo?
Hoeveel kost dit?	· Quanto costa?
	kwaantoo kostaa?
Hoe laat is het?	· Che ore sono?
	keeooree soonoo?
Welk? Welke? (enkelvoud/ meervoud)	· Quale?/Quali?
	kwaalee/kwaalie?
Welk glas is voor mij?	· Qual è il mio bicchiere?
	kwaale iel mieoo biekjeeree?
Wanneer?	· Quando?
	kwaandoo?
Wanneer vertrekt u?	· Quando parte?
	kwaandoo paartee?
Waarom?	· Perchè?
	perkee?
Kunt u me ...?	· Potrebbe ...?
	pootrèbbee ...?
Kunt u me helpen a.u.b.?	· Potrebbe darmi una mano, per piacere?
	pootrèbbee daarmie oenaa maanoo, per pjaatsjeeree?
Kunt u me dat wijzen?	· Potrebbe indicarmelo?
	pootrèbbee iendiekaarmeelo?
Kunt u met me meegaan a.u.b.?	· Potrebbe accompagnarmi, per favore?
	pootrèbbee aakoompaanjaarmie, per faavooree?
Wilt u ...?	· Potrebbe ...?
	pootrèbbee ...?

Wilt u voor mij kaartjes reserveren a.u.b.?	· Mi potrebbe prenotare dei biglietti, per piacere?
	mie pootrèbbee preenootaaree deej bieljèettie, per pjaatsjeeree?
Weet u ...?	· Saprebbe ...?
	saaprèbbee ...?
Weet u misschien een ander hotel?	· Saprebbe consigliarmi un altro albergo?
	saaprèbbee koonsieljaarmie oenaaltroo aalbergoo?
Heeft u ...?	· Ha ...?
	aa ...?
Heeft u voor mij een ...?	· Ha un/una ... per me?
	aa oen/oenaa ... permee?
Heeft u misschien een gerecht zonder vlees?	· Ha per caso un piatto senza carne?
	aa perkaazoo oen pjàatoo sentsaa kaarnee?
Ik wil graag ...	· Vorrei ...
	vorrej ...
Ik wil graag een kilo appels	· Vorrei un chilo di mele
	vorrej oenkieloo diemeelee
Mag ik ...?	· Posso ...?
	Pòssoo ...?
Mag ik dit meenemen?	· Posso portare via questo?
	pòssoo portaaree vieaa kwestoo?
Mag ik hier roken?	· Si può fumare qui?
	siepwo foemaaree kwie?
Mag ik wat vragen?	· Posso chiederLe qualcosa?
	pòssoo kjeedeerlee kwaalkoozaa?

2.3 Hoe geef je antwoord?

Ja, natuurlijk	· Sì certo
	sietsjertoo
Nee, het spijt me	· No, mi dispiace
	no, mie diespjaatsjee
Ja, wat kan ik voor u doen?	· Sì, che cosa desidera?
	sie, keekoozaa deeziedeeraa?
Een ogenblikje a.u.b.	· Un attimo, per favore
	oenàatiemoo, per faavooree
Nee, ik heb nu geen tijd	· No, purtroppo non ho tempo
	no, poertròopoo nonnoo tempoo

Nee, dat is onmogelijk	· No, non è possibile *no, nonne possiebielee*
Ik geloof het wel	· Credo proprio di sì *kreedoo propprieoo die sie*
— denk het ook	· Lo penso anch'io *loppensoo aangkieoo*
— hoop het ook	· Lo spero anch'io *lospeeroo aangkieoo*
Nee, helemaal niet	· No, niente affatto *no, njentee aafàatoo*
Nee, niemand	· No, nessuno *no, nessoenoo*
Nee, niets	· No, niente *no, njentee*
Dat klopt	· Esatto *eezàatoo*
Dat klopt niet	· C'è qualcosa che non va *tsje kwaalkoozaa kee nonvaa*
Dat ben ik (niet) met u eens	· (Non) sono d'accordo *(non) soonoo daakordoo*
Dat is goed	· Va bene *vaabennee*
Akkoord	· D'accordo *daakordoo*
Misschien	· Forse *foorsee*
Ik weet het niet	· Non lo so *non losso*

2.4 Dank u wel

Bedankt/dank u wel	· Grazie *ǧraatsie-ee*
Geen dank/graag gedaan	· Di niente/nulla *die njentee/nòelaa*
Heel hartelijk dank	· Mille grazie *mìelee ǧraatsie-ee*
Erg vriendelijk van u	· Molto gentile *mooltoo dzjentielee*

't Was me een waar genoegen	• E' stato un piacere *estaatoo oen pjaatsjeeree*
Ik dank u voor …	• La ringrazio di … *laa riengraatsieoo die …*
Dat had u niet moeten doen	• Lei è stato proprio troppo gentile *lejjestaatoo propprieoo tròopoo dzjentielee*
Dat zit wel goed hoor	• Ma si figuri! *maa sie fieĝoerie!*

2.5 Pardon

Pardon	• Scusi *skoezie*
Sorry!	• Scusa! *skoezaa!*
Sorry, ik wist niet dat …	• Scusi, ma non sapevo che … *skoezie, maa non saapeevoo kee …*
Neemt u me niet kwalijk	• Mi scusi *mieskoezie*
Het spijt me	• Mi dispiace *miediespjaatsjee*
Ik deed het niet expres, het ging per ongeluk	• Non l'ho fatto apposta *non loofàatoo aapostaa*
Dat geeft niet, hoor	• Non si preoccupi *non sie preeòkkoepie*
Laat maar zitten	• Lascia perdere *laasjaa perdeeree*
Dat kan iedereen overkomen	• Può succedere a tutti *pwo soetsjeedeeree aatòetie*

2.6 Wat vindt u ervan?

Wat heeft u liever?	• Cosa preferisce? *koozaa preefeeriesjee?*
Wat vind je ervan?	• Che ne pensi? *keeneepensie?*
Houd je niet van dansen?	• Non ti piace ballare? *non tie pjaatsjee baalaaree?*
Het maakt mij niets uit	• Per me è uguale *peermee e oeĝwaalee*

Goed zo!	· Bravo/brava/bravi/brave!
	braavoo/braavaa/braavie/braavee!
Uit de kunst!	· Che meraviglia!
	kee meeraavieljaa!
Heerlijk!	· Che gioia!
	kee dzjojjaa!
Wat is het hier gezellig!	· Che piacevole!
	kee pjaatsjeevoolee!
Wat leuk/mooi!	· Che bello!
	kee bèlloo!
Wat fijn voor u!	· Mi fa piacere per Lei
	mie faa pjaatsjeeree per lej
Ik ben (niet) erg tevreden over …	· (Non) sono molto contento/a di …
	(non) soonoo mooltoo koontentoo/aa die …
Ik ben blij dat …	· Sono felice che …
	soonoo feelietsjee kee …
Ik amuseer me prima	· Mi sto divertendo moltissimo
	.miestoo dievertendoo mooltiesiemoo
Ik verheug me op morgen	· Non vedo l'ora che sia domani
	non veedoo looraa kee sieaa doomaanie

Wat waardeloos!	· Che brutto!
	kee bròetoo
— afschuwelijk!	· E' orribile
	e orriebielee
— jammer!	· Che peccato!
	kee pekkaatoo!
— vies!	· Che schifo!
	kee skiefoo

Wat een onzin/flauwekul!	· Che sciocchezze!
	kee sjokkèètsee
Ik houd niet van …	· Non mi piace …/Non mi piacciono …
	non mie pjaatsjee …/non mie pjaatsjoonoo …
Ik verveel me kapot	· Sto morendo di noia
	stoo moorendoo die nojjaa
Ik heb er genoeg van	· Mi sono stufato/a
	miesoonoo stoefaatoo/aa
Ik had iets heel anders verwacht	· Mi aspettavo una cosa diversa
	mie aspettaavoo oenaa koozaa dieversaa

Wat zegt u?

Ik spreek geen/een beetje ...	· Non parlo/Parlo un po' di ... *non paarloo/paarloo oen poddie ...*
Ik ben Nederlander/ Nederlandse	· Sono olandese *soonoo oolaandeezee*
— Belg/Belgische	· Sono belga *soonoo belgaa*
— Vlaming/Vlaamse	· Sono fiammingo/a *soonoo fjaamienggoo/aa*
Spreekt u Engels/Frans/ Duits?	· Lei parla inglese/francese/tedesco? *lejpaarlaa ienggleesee/fraantsjeesee/ teedeeskoo?*
Is er iemand die ... spreekt?	· C'è qualcuno che parli ...? *tsje kwaalkoenoo keepaarlie ...?*
Wat zegt u?	· Come? *koomee?*
Ik begrijp het (niet)	· (Non) lo capisco *(non) lokkaapieskoo*
Begrijpt u mij?	· Mi capisce? *miekaapiesjee?*
Wilt u dat a.u.b. herha- len?	· Potrebbe ripetermelo? *pootrèbbee riepeeteermeeloo?*
Kunt u wat langzamer praten?	· Potrebbe parlare un po' più lentamente? *pootrèbbee paarlaaree oenpo pjoe lentaamentee*
Wat betekent dat/dat woord?	· Che cosa significa/Che cosa significa quella parola? *keekoozaa sienjiefiekaa/keekoozaa sienjiefiekaa kwèelaa paaroolaa?*
Is dat (ongeveer) hetzelf- de als ...?	· E' più o meno lo stesso di ...? *eppjoe oomeenoo lostèesoo die ...?*
Kunt u dat voor me opschrijven?	· Potrebbe scrivermelo? *pootrèbbee skrieveermeeloo?*

Kunt u dat voor me spellen?	· Mi può fare lo spelling? *miepwo faaree lospelliengĝ?*

(zie 1.8 voor het telefoonalfabet)

Kunt u dat in deze taal-gids aanwijzen?	· Potrebbe indicarmelo in questa guida? *pootrèbbe iendiekaarmeelo ien kweesta ĝwiedaa?*
Een ogenblik, ik moet het even opzoeken	· Un attimo che lo cerco *oenàatiemoo kee lotsjerkoo*
Ik kan het woord/de zin niet vinden	· Non riesco a trovare la parola/la frase *non rie-eskoo aatroovaaree laapaaroolaa/laafraazee*
Hoe zeg je dat in het …?	· Come si dice in …? *koomee siedietsjee ien …?*
Hoe spreek je dat uit?	· Come si pronuncia? *koomee sieproonoentsjaa?*

3.1 Zich voorstellen

Mag ik me even voor-stellen?	· Permette che mi presenti? *peermèetee kee mie preezentie?*
Ik heet …	· Mi chiamo … *mie kjaamoo …*
Ik ben …	· Sono … *soonoo …*
Hoe heet u?	· Lei, come si chiama? *lej, koomee sie kjaamaa?*
Mag ik u/je mijn … voorstellen?	· Permette, Le presento …/Permetti, ti presento … *peermèettee, lee preezentoo …/permèttie, tiepreezentoo …*
— vrouw/man	· Le/ti presento mia moglie/mio marito *lee/tie prezentoo mieaa mooljee/mieoo maarietoo*
— dochter/zoon	· Le/ti presento mia figlia/mio figlio *lee/tie prezentoo mieaa fieljaa/mieoo fieljoo*
— moeder/vader	· Le/ti presento mia madre/mio padre *lee/tie prezentoo mieaa maadree/mieoo paadree*

— vaste vriendin/vriend	· Le/ti presento la mia fidanzata/il mio fidanzata *lee/tie prezentoo laamieaa fiedaantsaataa/ielmieoo fiedaantsaatoo*
— een vriendin/vriend	· Le/ti presento un'amica mia/un amico mio *lee/tie prezentoo oenaamiekaa mieaa/oenaamiekoo mieoo*
Hallo, leuk je te ontmoeten	· Ciao, sono contento di incontrarti *tsjauw, soonoo koontentoo die iengkoontraartie*
Aangenaam (kennis te maken)	· Piacere (di fare la Sua conoscenza) *pjaatsjeeree diefaaree laasoeaa koonoosjentsa*
Waar komt u vandaan?	· Lei, di dov'è? *lej, die doove?*
Ik kom uit Nederland/België/Vlaanderen	· Sono olandese/belga *soonoo oolaandeeze/belĝaa*
In welke stad woont u?	· In quale città abita? *ienkwaalee tsjietaa aabietaa?*
In ... Dat is dicht bij ...	· Abito a ... E' vicino a ... *aabietoo aa ... e vietsjienoo aa ...*
Bent u hier al lang?	· E' molto che sta qui? *emmooltoo keestaakwie?*
Een paar dagen	· Qualche giorno *kwaalkee dzjoornoo*
Hoe lang blijft u hier?	· Quanto tempo rimarrà? *kwaantoo tempoo riemaaraa?*
We vertrekken (waarschijnlijk) morgen/over twee weken	· Partiremo (probabilmente) domani/fra due settimane *paartiereemoo proobaabielmentee doomaanie/fraa doe-ee seetiemaanee*
Waar logeert u?	· Dov'è alloggiato/a? *doove aalodzjaatoo/aa?*
In een hotel/appartement	· Sono alloggiato in un albergo/appartamento *soonoo aalodzjaatoo ien oen aalbergoo/aapaartaamentoo*
Op een camping	· Faccio il campeggio *faatsjoo iel kaampèedzjoo*

In huis bij vrienden/familie	• Sono ospite di amici miei/Sto a casa della mia famiglia *soonoo ospietee die aamietsjie mjej/stoo aakaazaa dèelaa mieaa faamieljaa*
Bent u hier alleen/met uw gezin?	• E' da solo/a?/E' con la Sua famiglia? *eddaa soolool/aa?/ekkoon laasoeaa faamieljaa?*
Ik ben alleen	• Sono da solo/a *soonoo daasoolool/aa*
— met mijn partner/vrouw/man	• Sono con il mio partner/la mia partner/mia moglie/mio marito *soonoo kon ielmieoo paartner/laamieaa paartner/mieaa mooljee/mieoo maarietoo*
— met mijn gezin	• Sono con la mia famiglia *soonoo koon laamieaa faamieljaa*
— met familie	• Sono con i miei parenti *soonoo kon iemjej paarentie*
— met een vriend/een vriendin/vrienden	• Sono con un amico/un'amica/degli amici *soonoo kon oenaamiekoo/oenaamiekaa/deeljie aamietsjie*
Bent u getrouwd?	• Lei è sposato/a? *leje spoozaatool/aa?*
Heb je een vaste vriend(in)?	• Hai il fidanzato/la fidanzata? *aajiel fiedaantsaatool/laa fiedaantsaataa?*
Dat gaat u niets aan	• Questo non La riguarda per niente *kweestoo non laariegwaardaa per njentee*
Ik ben getrouwd	• Sono sposato/a *soonoo spoozaatool/aa*
— vrijgezel (mannelijk)	• Sono scapolo *soono skaapooloo*
— vrijgezel (mannelijk/vrouwelijk)	• Sono celibe/nubile *soonoo tsjeeliebee/noebielee*
— gescheiden (van tafel en bed)	• Sono separato/a *soonoo seepaaraatool/aa*
— gescheiden (officieel)	• Sono divorziato/a *soonoo dievoortsieaatool/aa*
— weduwe/weduwnaar	• Sono vedova/o *soonoo veedoovaa/oo*

Ik woon alleen/samen
· Vivo da solo/a/Vivo con il mio partner/la mia partner
vievoo daasooloo/aa/vievoo kon ielmieoo paartner/laamieaa paartner

Heeft u kinderen/klein-kinderen?
· Ha figli/nipoti?
aafieljie/niepootie?

Hoe oud bent u?
· Quanti anni ha (Lei)?
kwaantie àanie aa (lej)?

— is zij/hij?
· Quanti anni ha (lei/lui)?
kwaantie àanie aa (leij/loe-ie)?

Ik ben ... jaar oud
· Ho ... anni
oo ... àanie

Zij/hij is ... jaar oud
· Ha ... anni
aa ... àanie

Wat voor werk doet u?
· Qual è la Sua occupazione?
kwaalè laa soeaa okkoepaatsieoonee?

Ik werk op een kantoor
· Lavoro in ufficio
laavooroo ienoefietsjoo

Ik studeer/zit op school
· Studio/Frequento la scuola (...)
stoedieoo/freekwentoo laa skwoolaa

Ik ben werkloos
· Sono disoccupato/a
soonoo diezokkoepaatoo/aa

— gepensioneerd
· Sono pensionato/a
soonoo pensieoonaatoo/aa

— afgekeurd, ik zit in de WAO
· Sono invalido/a al lavoro
soonoo ienvaaliedoo/aa aal laavooroo

— huisvrouw
· Sono casalinga
soonoo kaazaaliengĝaa

Vindt u uw werk leuk?
· Le piace il Suo lavoro?
leepjaatsjee ielsoeoo laavooroo?

Soms wel, soms niet
· Alle volte sì, alle volte no
àalee voltee sie, àalee voltee no

Meestal wel, maar vakan-tie is leuker
· Il più delle volte sì, però le vacanze mi piacciono di più
ielpjoe dèelee voltee sie, peero leevaakaantsee miepjaatsjoonoo diepjoe

Mag ik u wat vragen?	· Scusi, posso chiederLe qualcosa? *skoezie, pòssoo kjeedeerlee kwaalkoozaa?*
Neemt u me niet kwalijk	· Mi scusi *mieskoezie*
Pardon, kunt u me helpen?	· Scusi, mi può aiutare per favore? *skoezie, mie pwo aajoetaaree per faavooree?*
Ja, wat is er aan de hand?	· Sì, che cosa c'è? *sie, keekoozaa tsje?*
Wat kan ik voor u doen?	· Di che cosa ha bisogno? *die keekoozaa aabiezoonjoo?*
Sorry, ik heb nu geen tijd	· Mi dispiace, non ho tempo *mie diespjaatsjee, nonnoo tempoo*
Heeft u een vuurtje?	· Ha da accendere? *aa daatsjendeeree?*
Mag ik bij u komen zitten?	· Posso farLe compagnia? *pòssoo faarlee koompaanjieaa?*
Wilt u een foto van mij/ons maken? Dit knopje indrukken.	· Mi/ci potrebbe fare una foto? Pigi questo bottone *mie/tsjie pootrèbbee faaree oenaa footoo?*
Laat me met rust	· Lasciami in pace *laasjaamie ienpaatsjee*
Hoepel op	· Vattene/Levati dai piedi *vàateenee/leevaatie daajpjeedie*
Als u niet weg gaat, ga ik gillen	· Se non se ne va subito, comincio a strillare *seenon seeneevaa soebietoo, koomientsjoo aastrielaaree*

Gefeliciteerd met uw verjaardag/naamdag	· Tanti auguri, buon compleanno/buon onomastico *taantie auğoerie, bwoon koompleeàanoo/bwoon oonoomaastiekoo*
Gecondoleerd	· Le mie condoglianze *leemie-ee koondooljaantsee*

Ik vind het heel erg voor u

· Mi dispiace moltissimo per Lei
  mie diespjaatsjee mooltiesiemoo per lej

3.4 Een praatje over het weer

Zie ook 1.5 *Het weer*.

Wat is het warm/koud vandaag!	· Che caldo/freddo oggi *kee kaaldoo/freedoo òdzjie*
Lekker weer, hè?	· Fa bello, vero? *faa bèlloo, veeroo?*
Wat een wind/storm!	· Che vento/tempesta! *kee ventoo/tempestaa!*
— regen/sneeuw!	· Che pioggia/neve *kee pjòdzjaa/neevee!*
— mist!	· Che nebbia! *kee nèebjaa*
Is het hier al lang zulk weer?	· E' da parecchio che avete questo tempo? *eddaapaarèekjoo kee aveetee kweestoo tempoo?*
Is het hier altijd zo warm/koud?	· Fa sempre tanto caldo/freddo qui? *faa sempree taantoo kaaldoo/frèedoo kwie?*
— droog/nat?	· E' sempre tanto secco/umido qui? *essempre taantoo sèekoo/oemiedoo kwie?*

3.5 Hobby's

Heeft u hobby's?	· Ha qualche hobby? *aa kwaalke òbbie?*
Ik houd van breien/lezen/ fotograferen/knutselen	· Mi piace lavorare a maglia/leggere/ fotografare/fare lavoretti *mie pjaatsjee laavooraaree aamaaljaa/ lèdzjeeree/footooĝraafaaree/faaree laavoorèttie*
Ik houd van muziek	· Mi piace ascoltare la musica *miepjaatsjee aaskooltaaree laamoeziekaa*

— gitaar/piano spelen	· Mi piace suonare la chitarra/il pianoforte *mie pjaatsjee swoonaaree laa kietàaraa/iel pjaanoofortee*
Ik ga graag naar de film	· Mi piace andare a vedere un film *mie pjaatsjee aandaaree aa veedeeree oenfielm*
Ik reis/sport/vis/wandel graag	· Mi piace viaggare/fare dello sport/ pescare/fare una passeggiata *mie pjaatsjee vjaadzjaaree/faaree dèeloo sport/peeskaaree/faaree oenaa paaseedzjaataa*

3.6 Iets aanbieden

Zie ook 4 *Uit eten.*

Mag ik u iets te drinken aanbieden?	· Le posso offrire qualcosa da bere? *leepòssoo offrieree kwaalkoozaa daabeeree?*
Wat wil je drinken?	· Cosa bevi? *koozaa beevie?*
Wilt u een sigaret/sigaar/ shagje draaien?	· Vuole una sigaretta/un sigaro?/Vuole arrotolare una sigaretta? *vwoolee oena sieĝaarèetaa/oen sieĝaaroo?/ vwoolee oenaa sieĝarèttaa?*
Graag iets zonder alcohol	· Vorrei una bibita analcolica *voorej oenaa biebietaa aanaalkooliekaa*
Ik rook niet	· Non fumo *non foemoo*

3.7 Uitnodigen

Heb je vanavond iets te doen?	· Hai qualcosa da fare stasera? *aai kwaalkoozaa daafaaree staaseeraa?*
Heeft u al plannen voor vandaag/vanmiddag/ vanavond?	· Che intende fare oggi/questo pomeriggio/ stasera? *kee ientendee faaree òdzjie/kweestoo poomeeriedzjoo/staaseeraa?*

Heeft u zin om met mij uit te gaan?	· Le piacerebbe uscire con me?
	lee pjaatsjeerèbbee oesjieree koonmee?
— mij te gaan dansen?	· Le piacerebbe andare a ballare con me?
	lee pjaatsjeerèbbee aandaaree aabaalaaree koonmee?
— mij uit eten te gaan? ('s middags/'s avonds)	· Le piacerebbe uscire a pranzo/a cena con me?
	lee pjaatsjeerèbbee oesjieree aapraantsoo/ aatsjeenaa koonmee?
— mij naar het strand te gaan?	· Le piacerebbe andare alla spiaggia con me?
	lee pjaatsjeerèbbee aandaaree àalaa spjaadzjaa koonmee?
— ons naar de stad te gaan?	· Le piacerebbe andare in città con noi?
	lee pjaatsjeerèbbee aandaaree ientsjietaa konnooj?
— ons naar vrienden te gaan?	· Le piacerebbe venire con noi a trovare degli amici?
	lee pjaatsjeerèbbee veenieree konnooj aatroovaaree deeljie aamietsjie?
Zullen we dansen?	· Balliamo?
	baaljaamoo?
Zullen we iets gaan drinken?	· Beviamo qualcosa?
	beevjaamoo kwaalkoozaa?
Zullen we een eindje gaan lopen/rijden?	· Vogliamo fare due passi? Facciamo un giro in macchina?
	voljaamoo faaree doe-ee pàasie/ faatsjaamoo oen dzjieroo ienmaakienaa?
Ja, dat is goed	· Sí, va bene
	sie, vaabeenee
Goed idee	· E' una buona idea
	e oenaa bwoonaa iedeeaa
Nee (bedankt)	· No (grazie)
	no (ǧraatsie-ee)
Straks misschien	· Più tardi, forse
	pjoe taardie, foorsee
Daar heb ik geen zin in	· Non mi va
	non mievaa
Ik heb geen tijd	· Purtroppo non ho tempo
	poertròppoo nonnoo tempoo

Ik heb al een andere afspraak	• Ho già un altro appuntamento *oodzjaa oenaaltroo aapoentaamentoo*
Ik kan niet dansen/volley-ballen/zwemmen	• Non so ballare/giocare a pallavolo/nuotare *non soo baalaaree/dzjokkaaree aa paalaavooloo/nwootaaree*

3.8 Een compliment maken

Wat ziet u er goed uit!	• Lei è proprio in forma! *lejje propprieoo ien foormaa!*
Mooie auto!	• Che bella macchina! *keebèllaa màakienaa!*
Leuk skipak!	• Che bel completo da sci! *keebel koompleetoo daasjie!*
Je bent een lieve jongen/meid	• Sei un ragazzo gentile/una ragazza gentile *sej oen raagaatsoo/oenaa raagaatsaa dzjentielee*
Wat een lief kindje!	• Che bambino/a buono/a! *kee baambienoo/aa bwoonoo/aa!*
U danst heel goed	• (Lei) balla molto bene *(lej) bàalaa mooltoo beenee*
— kookt	• (Lei) cucina molto bene *(leij) koetsjienaa mooltoo beenee*
— voetbalt	• (Lei) sa giocare molto bene a calcio *(lej)saa dzjokkaaree mooltoo beenee aakaaltsjoo*

3.9 Iemand versieren

Ik vind het fijn om bij je te zijn	• Mi piace stare con te *mie pjaatsjee staaree koontee*
Ik heb je zo gemist	• Mi sei mancato/a tanto *miesej maangkaatoo taantoo*
Ik heb van je gedroomd	• Ho sognato di te *oo soonjaatoo dietee*

Ik moet de hele dag aan je denken	· Tutto il giorno non faccio altro che pensarti *tòetoo iel dzjoornoo non fàatsjoo aaltroo kee pensaartie*
Je lacht zo lief	· Sei dolce quando ridi *sej dooltsjee kwaandoo riedie*
Je hebt zulke mooie ogen	· I tuoi occhi sono bellissimi *ie twoojòkkie soonoo bellìesiemie*
Ik hou van je (ook in vriendschappelijk verband)	· Ti voglio bene *tievooljoo beenee*
Ik ben verliefd op je	· Mi sono innamorato/a di te *miesoonoo ienaamooraatoo/aa dietee*
Ik ook op jou	· Anch'io sono innamorato/a di te *aangkieoo soonoo ienaamooraatoo/aa dietee*
Ik hou van jou	· Ti amo *tieaamoo*
Ik ook van jou	· Anch'io ti amo *aangkieoo tieaamoo*
Ik heb niet zulke sterke gevoelens voor jou	· I miei sentimenti verso di te non sono tanto intensi *iemjej sentiementie versoo dietee non soonoo taantoo ientensie*
Ik heb al een vriend/vriendin	· Sono già fidanzato/a *soonoo dzjaa fiedaantsaatoo/aa*
Ik ben nog niet zo ver	· Non sono pronto/a a fare ciò *non soonoo proontoo/aa aafaaree tsjo*
Het gaat me veel te snel	· Non voglio precipitare le cose *non voljoo preetsjiepietaaree leekoozee*
Blijf van me af	· Non toccarmi *non tookaarmie*
Okee, geen probleem	· O.k., non c'è problema *ookee, non tsje proobleemaa*
Blijf je vannacht bij me?	· Rimani con me stanotte? *riemaanie koonmee staanòttee?*
Ik wil graag met je naar bed	· Vorrei andare a letto con te *vooreij aandaaree aalèttoo koontee*
Alleen met een condoom	· Soltanto con un preservativo *sooltaantoo koon oen preezervaatievoo*
We moeten voorzichtig zijn vanwege aids	· Dobbiamo stare attenti a causa dell'aids *doobjaamoo staaree aatentie aakauzaa dellaajds*

Dat zeggen ze allemaal	· Questo lo dicono tutti
	kweestoo loddiekoonoo tòetie
Laten we geen risico nemen	· Non rischiamo niente
	non rieskjaamoo njentee
Heb je een condoom?	· Hai un preservativo?
	aajoen preezervaatievoo?
Nee? Dan doen we het niet	· No? Allora no
	no? aalooraa no

3.10 Iets afspreken

Wanneer zie ik je weer?	· Quando ti rivedrò?
	kwaandoo tie rieveedro?
Kunnen we elkaar dit weekend zien?	· Ha tempo libero nel weekend?
	aatempoo liebeeroo neel wiekend?
Wat zullen we afspreken?	· Come rimaniamo d'accordo?
	koomee riemaanieaamoo daakordoo?
Waar zullen we elkaar treffen?	· Dove ci vediamo?
	doovee tsjie veedieaamoo?
Komt u mij/ons halen?	· Mi/ci verrà a prendere?
	mie/tsjie verraa aaprendeeree?
Zal ik u ophalen?	· La verrò a prendere?
	laa verro aaprendeeree?
Ik moet om … uur thuis zijn	· Devo essere a casa alle …
	deevoo èsseeree aakaazaa àalee …
Ik wil u niet meer zien	· Non voglio più rivederLa
	non voljoo pjoe rieveedeerlaa

3.11 Uitgebreid afscheid nemen

Mag ik u naar huis brengen?	· Posso accompagnarLa a casa
	pòssoo aakoompaanjaarlaa aakaazaa?
Mag ik u schrijven/opbellen?	· Posso scriverLe/chiamarLa?
	pòssoo skrieveerlee/kjaamaarlaa?
Schrijft/belt u mij?	· (Lei) mi scriverà/chiamerà?
	(lej) mie skrieveeraa/kjaameeraa?
Mag ik uw adres/telefoonnummer?	· Mi da il Suo indirizzo/numero di telefono?
	mie daa iel soeoo iendierietsoo/noemeeroo die teleefoonoo?

Bedankt voor alles	· Grazie di tutto
	graatsie-ee die tòetoo
Het was erg leuk	· E' stato molto divertente
	estaatoo mooltoo dievertentee
Doe de groeten aan …	· Salutami …
	saaloetaamie …
Ik wens je het allerbeste	· Tante belle cose
	taantee bèllee koozee
Veel succes verder	· Auguri
	augoerie
Wanneer kom je weer?	· Quando tornerai?
	kwaandoo toorneeraaj?
Ik wacht op je	· Ti aspetterò
	tie aaspetteero
Ik zou je graag nog eens terugzien	· Vorrei rivederti
	voorej rieveedeertie
Ik hoop dat we elkaar gauw weerzien	· Spero che ci rivedremo presto
	speeroo kee tsjie rieveedreemoo prestoo
Dit is ons adres. Als u ooit in Nederland/België bent …	· Ecco il nostro indirizzo. Casomai verrà in Olanda/Belgio …
	èkko iel nostroo iendierìetsoo. kaazoomaaj verraa ien oolaandaa/beldzjoo …
U bent van harte welkom	· Sarà il nostro ospite gradito
	saaraa iel nostroo ospietee graadietoo

4 Uit eten

Eetgelegenheden:

BAR/CAFFÈ: men serveert er koffie en andere dranken, koffiebroodjes en kleine hapjes. Meestal moet men eerst betalen wat men wil drinken en eten. Met de bon *(lo scontrino)* gaat men dan naar het personeel achter de toonbank. Er is vaak weinig zitgelegenheid. Het is een Italiaanse gewoonte koffie e.d. staande aan de toonbank te nuttigen. Consumpties die aan een tafeltje worden genuttigd, zijn duurder.

BIRRERIA: hier wordt voornamelijk bier geserveerd met eenvoudige hapjes en broodjes.

FAST-FOOD/SELF-SERVICE: eetgelegenheid zoals MacDonald's.

GELATERIA: ijssalon.

OSTERIA: eetgelegenheid waar men eenvoudige maaltijden en wijn kan nuttigen.

PIZZERIA: hier serveert men voornamelijk verschillende soorten *pizze*.

RISTORANTE: meestal een luxueus restaurant, alhoewel men *ristoranti* in verschillende categorieën heeft.

ROSTICCERIA: grill. Men kan de geroosterde gerechten ter plaatse opeten of meenemen

TAVOLA CALDA: eenvoudige eetgelegenheid waar men warme gerechten aan de toonbank kan nuttigen. Soms zijn er ook een paar tafeltjes; een Italiaanse snackbar.

TRATTORIA: eenvoudig restaurant.

Maaltijden:

(PRIMA) COLAZIONE: ontbijt: koffie en een (koffie)broodje. Bij een overnachting is het ontbijt niet automatisch inbegrepen. U bent dan aangewezen op een bar, waar vele Italianen staande ontbijten.

PRANZO: warme hoofdmaaltijd, die van ongeveer 12.30 uur tot 15.00 uur geserveerd wordt.

MERENDA: vieruurtje.

CENA: avondeten.

Op uw rekening komt u altijd een bedrag voor *pane e coperto* en *servizio* tegen. U betaalt voor het couvert (*coperto*) en het brood (*pane*) dat u bij het eten geserveerd heeft gekregen. Voor de bediening (*servizio*) betaalt u tussen de 10 en 15%. Een fooi is daarom niet verplicht, maar wordt wel zeer op prijs gesteld. Gebruikelijk is dan van 5 tot 10% extra te geven.

4.1 Bij binnenkomst

Kan ik een tafel voor 7 uur reserveren?	· E' possibile prenotare un tavolo per le sette? *eppossiebielee preenootaaree oentaavooloo per leesèttee?*
Graag een tafel voor 2 personen	· Un tavolo per due persone, per favore *oen taavooloo peer doe-ee persoonee, peer faavooree*
Wij hebben (niet) gereserveerd	· (Non) abbiamo prenotato *(non aabjaamoo preenootaatoo*
Is de keuken al open?	· La cucina è già entrata in servizio? *laa koetsjienaa edzjaa eentraataa ien servietsieoo?*
Hoe laat gaat de keuken open/dicht?	· A che ora entra in servizio la cucina?/Fino a che ora è in servizio la cucina? *aakeeooraa eentraa ien servietsieoo laa koetsjienaa?/fienoo aakeeooraa e ien servietsieoo laa koetsjienaa?*
Kunnen wij op een tafel wachten?	· Possiamo aspettare che si liberi un tavolo? *possieaamoo aaspettaaree kee sie liebeerie oentaavooloo?*
Moeten wij lang wachten?	· Dobbiamo aspettare parecchio? *doobjaamoo aaspettaaree paarèekjoo?*

Ha prenotato?	Heeft u gereserveerd?
A che nome?	Onder welke naam?
Prego, da questa parte	Deze kant op, alstublieft

Questo tavolo è prenotato
Fra un quarto d'ora ci sarà un
tavolo libero
Le dispiace aspettare nel
frattempo?

Deze tafel is gereserveerd
Over een kwartier hebben wij
een tafel vrij
Wilt u zolang wachten?

Is deze plaats vrij?
- E' libero questo posto?
  elliebeeroo kweesto poostoo?

Mogen wij hier/daar
zitten?
- Possiamo accomodarci qui/qua?
  possieaamoo aakommoodaartsjie kwie/
  kwaa?

— bij het raam
- Possiamo accomodarci vicino alla
  finestra?
  poosieaamoo aakoomoodaartsjie vietsjienoo
  àalaa fienestraa?

Kunnen we buiten ook
eten?
- Si può mangiare anche fuori?
  sie pwo maandzjaaree aangkee fwoorie?

Heeft u nog een stoel
voor ons?
- Ha un'altra sedia?
  aa oenaaltraa seedieaa?

— een kinderstoel?
- Ha un seggiolone (per bambini)?
  aa oen seedzjooloonee (peer baambienie)?

Is er voor deze flessewar-
mer een stopcontact?
- C'è una presa di corrente per lo
  scaldabiberon?
  tsje oenaa preezaa die koorentee peer
  loskaaldaabieberon?

Kunt u dit flesje/potje
voor mij opwarmen?
- Potrebbe riscaldare questo biberon/
  vasetto (nel forno a microonde)?
  pootrèbbee rieskaaldaaree kweestoo
  biebeeron/vaazèttoo (nel foornoo aa
  miekroo-ondee)?

Niet te warm a.u.b.
- Non bollente, per favore
  non boolentee, peer faavooree

Is hier een ruimte waar ik
de baby kan verzorgen?
- C'è un posto dove posso cambiare il
  bambino/la bambina?
  tsje oenpoostoo doovee pòssoo kaambjaaree
  ielbaambienoo/laa baambienaa?

| Waar is het toilet? | • Dove è il bagno? |
| | *doove iel baanjoo?* |

4.2 Bestellen

Ober!	• Cameriere/a
	kaameerjeeree/aa!
Mevrouw!	• Signora!
	sienjooraa!
Meneer!	• Signore!
	sienjooree!
Wij willen graag wat eten/ drinken	• Vorremmo mangiare/bere qualcosa
	vorrèmmoo maandzjaaree/beeree kwaalkoozaa
Kan ik snel iets eten?	• Potrei mangiare qualcosa rapidamente?
	pootrej maandzjaaree kwaalkoozaa raapiedaamentee
Wij hebben weinig tijd	• Abbiamo poco tempo
	aabjaamoo pookoo tempoo
Wij willen eerst nog wat drinken	• Vorremmo prima bere qualcosa
	vorrèmmoo priemaa beeree kwaalkoozaa
Mogen wij de menukaart/ wijnkaart?	• Ci porta il menù/la lista dei vini, per favore?
	tsjieportaa iel meenoe/laa liestaa deej vienie, peer faavooree?
Heeft u een menu in het Engels?	• Ha un menù in inglese?
	aa oen menoe ien ienĝleesee?
Heeft u een dagmenu/ toeristenmenu?	• Ha un menù del giorno/un menù turistico?
	aa oen menoe del dzjoornoo/oen menoe toeriestiekoo?
Wij hebben nog niet gekozen	• Non abbiamo deciso ancora
	non aabjaamoo deetsjiezoo aangkooraa
Wat kunt u ons aan- bevelen?	• Cosa ci consiglia?
	koozaa tsjie koonsieljaa?
Wat zijn de specialiteiten van deze streek/het huis?	• Quali sono le specialità di questa regione/ della casa?
	kwaalie soonoo lee speetsjaalietaa diekweestaa reedzjoonee/dèellaa kaazaa?
Ik houd van aardbeien/ olijven	• Mi piacciono le fragole/le olive
	miepjaatsjoonoo lee fraaĝoolee/lee oolievee

Ik houd niet van vis/vlees/ ...	· Non mi piace il pesce/la carne *non mie pjaatsjee iel peesjee/laa kaarnee*
Wat is dit?	· Cosa è questo? *koozaa ekkweestoo?*
Zitten er ... in? (vlees en groente)	· E' riempito di ...? *errie-empietoo die ...?*
Zitten er ... in? (gebak)	· E' farcito di ...? *effaartsjietoo die ...?*
Waar lijkt het op?	· A che cosa assomiglia? *aakeekoosaa aasoomieljaa?*
Is dit gerecht warm of koud?	· E' un piatto caldo o freddo? *e oenpjàatoo kaaldoo oofrèedoo?*
— zoet?	· E' un piatto dolce? *e oen pjàatoo dooltsjee?*
— pikant/gekruid?	· E' un piatto piccante/aromatizzato? *e oen pjàatoo piekaantee/ aaroomaatiedzaatoo?*
Heeft u misschien iets anders?	· Avrebbe magari qualcos'altro? *aavrèbbee maĝaarie kwaalkoozaaltroo?*
Ik mag geen zout (eten)	· Non sopporto il sale *non sooportoo iel saalee*
— varkensvlees	· Non sopporto la carne di maiale *non sooportoo laa kaarnee die maajaalee*
— suiker	· Non sopporto lo zucchero *non sooportoo lodzòekeeroo*
— vet	· Non sopporto il grasso *non sooportoo iel ĝràasoo*
— (scherpe) kruiden	· Non sopporto le spezie (piccanti) *non sooportoo leespeetsie-ee (piekaantie)*

Desidera?	Wat wenst u?
Ha scelto?	Heeft u uw keuze gemaakt?
Vuole un aperitivo?	Wilt u een aperitief?
Cosa prende da bere?	Wat wilt u drinken?
... sono finiti/e	Wij hebben geen ... meer
Buon appetito	Eet smakelijk

Graag hetzelfde als die mensen
· Vorremmo un piatto uguale al loro
  vorrèmmoo oen pjàatoo oeĝwaalee aal looroo

Ik wil graag …
· Vorrei …
  vorrej

Wij nemen geen voorgerecht
· Passiamo subito al primo/secondo piatto
  paasieaamoo soebietoo aal priemoo/ seekoondoo pjàatoo

Het kind zal wat van ons menu meeëten
· Il bambino/la bambina prenderà qualcosa dai nostri piatti
  iel baambienoo/laa baambienaa prendeeraa kwaalkoozaa daaj nostrie pjàatie

Nog wat brood a.u.b.
· Mi porti un altro po' di pane, per favore
  mieportie oenaaltroo poddiepaanee, peerfaavooree

— een fles water/wijn
· Mi porti un'altra bottiglia di acqua/di vino, per favore
  mieportie oenaaltraa bootieljaa die àakwaa/ die vienoo, peer faavooree

— een portie …
· Mi porti un'altra porzione di …, per favore
  mieportie oenaaltraa portsieoonee die …. peer faavooree

Kunt u zout en peper brengen a.u.b.?
· Mi porta il sale e il pepe, per favore?
  mieportaa ielsaalee ee ielpeepee, peer faavooree?

— een servet
· Mi porta un tovagliolo, per favore?
  mieportaa oen toovaaljooloo, peer faavooree?

— een lepeltje
· Mi porta un cucchiaino, per favore?
  mieportaa oen koekjaaienoo, peer faavooree?

— een asbak
· Mi porta un portacenere, per favore?
  mieportaa oen portaatsjeeneeree, peer faavooree?

— lucifers	· Mi porta qualche fiammifero, per favore? *mieportaa kwaalkee fjaamiefeeroo, peer faavooree?*
— tandenstokers	· Mi porta qualche stuzzicadenti, per favore? *mieportaa kwaalkee stoetsiekaadentie, peer faavooree?*
— een glas water	· Mi porta un bicchiere d'acqua, per favore? *mieportaa oen biekjeeree dàakwaa, peer faavooree?*
— een rietje (voor het kind)	· Mi porta una cannuccia (per il bambino/la bambina), per favore? *mieportaa oenaa kaanòetsjaa (per iel baambienoo/laa baambienaa), peer faavooree?*

Eet smakelijk!	· Buon appetito! *bwon aapeetietoo!*
Van hetzelfde	· Grazie, altrettanto *ğraatsie-ee, aaltreetaantoo*
Proost!	· Cin cin *tsjientsjien*
Het volgende rondje is voor mij	· La prossima volta offro io *laa pròssiemaa voltaa òffroo iejoo*
Mogen wij de resten meenemen voor onze hond?	· Potremmo portare via gli avanzi per il nostro cane? *pootremmoo portaaree vieaa ljie aavaantsie peer iel nostroo kaanee?*

4.3 Afrekenen

Zie ook 8.2 *Afrekenen.*

Wat is de prijs van dit gerecht?	· Quanto costa questo piatto? *kwaantoo kostaa kweestoo pjàatoo?*
De rekening a.u.b.	· Ci porti il conto *tsjieportie iel koontoo*
Alles bij elkaar	· Tutto insieme *tòetoo iensie-eemee*

Ieder betaalt voor zich	· Facciamo il conto alla romana
	faatsjaamoo iel koontoo àalaa roomaanaa
Mogen wij de kaart nog even zien?	· Potremmo vedere di nuovo la lista per i prezzi?
	pootrèmmoo veedeeree die nwoovoo laa liestaa per ieprètsie?
De ... staat niet op de rekening	· Ha dimenticato di mettere il/la ... sul conto
	aa diemeentiekaatoo die mètteeree iel/laa ... soel koontoo

4.4 Klagen

Het duurt wel erg lang	· Come tarda!
	koomee taardaa!
Wij zitten hier al een uur	· E' un'ora che stiamo qui
	e oenooraa kee stieaamoo kwie
Dit moet een vergissing zijn	· Senz'altro è uno sbaglio
	sentsaaltroo e oenoo zbaaljoo
Dit is niet wat ik besteld heb	· Non ho ordinato questo piatto
	nonnoo oordienaatoo kweestoo pjàatoo
Ik heb om ... gevraagd	· Ho chiesto ...
	ookjestoo ...
Er ontbreekt een gerecht	· Manca un piatto
	maangkaa oen pjàatoo
Dit is kapot/niet schoon	· Questo è rotto/non è pulito
	kweestoo e ròotoo/nonne poelietoo
Het eten is koud	· Il piatto è freddo
	ielpjàatoo effrèedoo
— niet vers	· Il cibo non è fresco
	ieltsjieboo nonne freeskoo
— te zout/zoet/gekruid	· Il piatto è troppo salato/dolce/aromatizzato
	ielpjàatoo ettròppoo saalaatoo/dooltsjee/aaroomaatiedzaatoo
Het vlees is niet gaar	· La carne è poco cotta
	laakaarnee eppookoo kòttaa
— te gaar	· La carne è troppo cotta
	laakaarnee ettròppoo kòttaa

— taai	· La carne è dura *laakaarnee eddoeraa*
— bedorven	· La carne è andata a male *laakaarnee e aandaataa aamaalee*
Kunt u mij hier iets anders voor geven?	· Invece di questo, mi potrebbe dare un'altra cosa? *ienveetsjee die kweestoo, mie pootrèbbee* *daaree oenaaltraa koozaa?*
De rekening/dit bedrag klopt niet	· Il conto non torna *iel koontoo non toornaa*
Dit hebben wij niet gehad	· Non abbiamo preso ciò *non aabjaamo preezoo tsjo*
Er is geen toiletpapier op het toilet	· Manca la carta igienica nel bagno *maangkaa laakaartaa iedzjeeniekaa* *neelbaanjoo*
Heeft u een klachten- boek?	· Ha un libro reclami? *aa oenliebroo reeklaamie?*
Wilt u a.u.b. uw chef roepen?	· Mi chiama il suo capo, per favore? *miekjaamaa ielsoeoo kaapoo, peer* *faavooree?*

4.5 Een compliment geven

Wij hebben heerlijk gegeten	· Abbiamo mangiato molto bene *aabjaamoo maandzjaatoo mooltoo beenee*
Het heeft ons voor- treffelijk gesmaakt	· E' stato ottimo *estaatoo òttiemoo*
Vooral de ... was heel bijzonder	· Sopratutto ... è stato straordinario *soopraatòetoo ... estaatoo* *straaordienaarieoo*

4.6 Menukaart

antipasti voorgerechten (hors d'oeu- vres) **cacciagione** wild	**carne** vlees **contorni** groente

coperto
couvert
digestivo
likeurtje/drankje na de maaltijd
dolci
gebak/nagerecht
formaggi
kaas
frutta
fruit
gelati
ijs
insalata
salade/sla
I.V.A.
B.T.W.
legumi
peulvruchten
minestre
soep

pane
brood
pasta(sciutta)
deegwaren
pesce
vis
pizze
pizza's
pollame
gevogelte
primo piatto
eerste gerecht
secondo piatto
tweede gerecht
servizio (compreso)
bediening (inbegrepen)
specialità
specialiteiten
spuntini
snacks
verdure
groenten

4.7 Alfabetische dranken- en gerechtenlijst

acciuga
ansjovis
acqua (minerale)
(mineraal)water
affettati
koude vleeswaren
affogato
gepocheerd
affumicato
gerookt
aglio
knoflook
agnello
lamsvlees

amatriciana, all'
met tomatensaus met spek en Spaanse peper
anguilla (carpionata)
paling (in 't groen)
anitra
eend
aranciata
sinas
arista
gebraden varkenslende
arrabbiata, all'
met tomatensaus, knoflook en Spaanse peper

arrosto
  gebraden (stuk vlees)
asparago
  asperge
bianco (in)
  met boter en parmezaanse kaas
birra
  bier
bistecca
  biefstuk of ander stuk rundvlees
bollito
  gekookt; gekookt rundvlees
braciola
  varkenskarbonade
brasato
  gesmoord; gesmoord rundvlees
brodo
  bouillon
bruschetta
  geroosterd brood met knoflook
  en olijfolie
budino
  pudding
bue
  os, rund
burro
  boter
cacciatore, alla
  met tomatensaus en champignons
caffè corretto/macchiato
  zwarte koffie met drank/een
  wolkje melk
caffè freddo
  ijskoffie
caffè (lungo/ristretto)
  (minder sterke/extra sterke)
  zwarte koffie

caffellatte
  koffie met melk, cappuccino
calamaro
  pijlinktvis
cannelloni
  gevulde deegrolletjes
cappero
  kappertje
cappuccino
  koffie met opgeklopte melk
carbonara, alla
  met spek, eieren en kaas
carciofo
  artisjok
carota
  wortel
carpa
  karper
carrettiera, alla
  met tomatensaus met tonijn en
  champignons
casalingo
  eigen gemaakt
cassata
  ijsgerecht met cake en vruch-
  ten
cavolfiore (rapa)
  bloemkool
cavolini di Bruxelles
  spruitjes
cavolo (rapa)
  kool(raap)
ceci
  kikkererwten
cervello
  hersenen
cervo
  hert
cetriolino
  augurk

cetriolo
komkommer

cicoria
andijvie

cinghialino
(jong) wild zwijn

cioccolata
chocolademelk

cipolla
ui

coda di bue
ossestaart

condito
aangemaakt

coniglio
konijn

cosce di ranocchio
kikkerbilletjes

coscia
boutje

costata
kotelet (rundvlees)

costoletta
kotelet (kalfs-, varkens- of
lamsvlees)

cozze
mosselen

crema
vla

crostini
stukjes geroosterd brood

crudo
rauw

digestivo
digestief

erba
kruiden; groente uit het veld

erba cotta
gekookte groente, te ver-
gelijken met andijvie

espresso
sterke zwarte koffie

fagiano
fazant

fagioli
bonen

fagiolini
sperziebonen

faraona
parelhoen

farcito
gevuld

fegato
lever

ferri, ai
gegrilleerd

fetta/fettina
plakje

filetto
filet; haas (stuk rundvlees)

finocchio
venkel

forno, al
gebakken in de oven

frappé
milkshake

frittata
omelet

fritto
gebakken in olie

frizzante
mousserend

frullato
milkshake (van vers fruit)

frutti di mare
zeebanket

funghi
champignons, paddestoelen

gamberetto
garnaal

gambero
kreeft
gelato
ijs
ghiaccio (con)
(met) ijs
giardiniera, alla
met gemengde groente
gnocchi
noedels
granchio
krab
gran(o)turco
maïs
grappa
gedistilleerd (van druiven-
pitten)
gratin, al
gebakken met kaas en/of
paneermeel
griglia, alla
gegrilleerd, geroosterd
imbottito
gevuld
infuso
kruidenthee
intingolo di lepre
hazepeper
involtino
blinde vink
latte
melk
lepre
haas
limone (al)
(met) citroen
lingua
tong (vlees)
liquore
likeur

lombata/lombo
lendestuk (rundvlees)
luccio
snoek
lumache
slakken
maccheroni
macaroni
macedonia di frutta
vruchtensalade
manzo
rundvlees
marinato
gemarineerd
melanzana
aubergine
merluzzo
kabeljauw
miele
honing
minestrone
groentesoep
molluschi
weekdieren
noce
noot (ook van vlees); walnoot
noce moscata
nootmuskaat
olio
olie
oliva
olijf
oliva
olijf
ossobuco
kalfsschenkel
ostrica
oester
pancetta
mager ontbijtspek

pane (integrale/tostato)
(volkoren, bruin/geroosterd)
brood
panino (imbottito)
(belegd) broodje
panna (montata)
(slag)room
Parmigiano
parmezaanse kaas
passata
puree
pasta
deeg, beslag, gebak
pastasciutta
macaroni, spaghetti enz. met
saus
pasta sfoglia
bladerdeeg
pasticcio
pasteitje
patate fritte
gebakken aardappels, frieten
pecora
schaap, schapevlees
Pecorino
schapekaas
penne
soort macaroni
peperoncino
Spaanse peper
peperone
paprika
pesto
kruidige saus van basilicum,
kaas en pijnboomnootjes
petto
borst
piccione
duif
piselli
doperwtjes

pizzaiola, alla
met tomatensaus, paprika,
champignons en basilicum
pollo
kip
polpetta
gehaktbal
pomodoro
tomaat
porchetta
geroosterd speenvarken
porcini
boleten, eekhoorntjesbrood
porco
varkensvlees
porto
port
prezzemolo
peterselie
prosciutto
ham
puttanesca, alla
met knoflook, kappertjes en
zwarte olijven
quaglia
kwartel
ragù
vleessaus voor de pasta
riccio di mare
zeeëgel
rigatoni
soort macaroni
ripieno
gevuld
riso
rijst
risotto
gerecht op basis van gekookte
rijst
rognone
niertje

rosbiff
  roastbeef

salame
  worst, salami

salmone
  zalm

salsa
  saus

salsiccia
  worst(je), saucijs

saltimbocca
  kleine schnitzel met ham

salumi
  vleeswaren

sambuca
  anijslikeur

sarda, sardina
  sardientje

scaloppina
  kalfslapje

scampi
  grote garnalen

secco
  droog, gedroogd

sedano
  selderij

sel(t)z
  spuitwater

selvaggina
  wild

semifreddo
  soort ijstaart

senape
  mosterd

seppia
  inktvis

sogliola
  tong

sottaceti
  in azijn ingemaakte groente

spalla
  schouderstuk

spezzatino
  gestoofde stukjes kalfsvlees

spiedo, allo
  aan het spit

spina, alla
  van het vat

spinaci
  spinazie

spremuta
  vers vruchtensap

spumante
  namaakchampagne

S.Q. secondo quantità
  prijs afhankelijk van de
  hoeveelheid

stracciatella
  bouillon met geklutst ei en
  parmezaanse kaas; ook ijs met
  stukjes chocola

stufato
  gesmoord, gestoofd; gestoofd
  rundvlees

succo di frutta
  vruchtensap

sugo
  saus

tacchino
  kalkoen

tagliatelle
  lintmacaroni

tartaruga
  schildpad

tartufo
  truffel; ijscoupe

tè
  thee

testa (di vitello)
  (kalfs)kop

tonno
tonijn
torta
taart
tortellini
gevulde deegringetjes
trippa
pens van het kalf
trita(ta)
gehakt vlees
trota
forel
uova strapazzate
roerei
uovo affogato/in camicia
gepocheerd ei
uovo al tegame/fritto
gebakken ei, spiegelei
uovo, all'
(gemaakt met) ei
uovo alla coque/da bere/sodo
halfzacht/rauw/hardgekookt ei
vaniglia
vanille

verdura
groente
vino bianco/rosso/rosato
witte/rode wijn/rosé
vitello
kalfsvlees
vongola
schelpdier
zabaione
zoete, warme wijnschuimvla
zucchero
suiker
zucchina
courgette
zuppa
soep
zuppa alla pavese
bouillon met gepocheerd ei op
toast
zuppa inglese
stuk taart in rum of likeur
geweekt

De weg vragen

Pardon, mag ik u iets vragen?	· Mi scusi, potrei chiederLe una cosa? *mieskoezie, pootrej kjeedeerlee oenaa koozaa?*
Ik ben de weg kwijt	· Mi sono smarrito/a *miesoonoo zmaarietool/aa*
Weet u een … in de buurt?	· Sa se c'è un/una … da queste parti? *saasee tsje oen/oenaa … daa kweestee paartie?*
Is dit de weg naar …?	· E' questa la strada per …? *ekkweestaa laastraadaa peer …?*
Kunt u me zeggen hoe ik naar … moet rijden/ lopen?	· Mi potrebbe indicare la strada per …? *mie pootrèbbee iendiekaaree laastraadaa peer …?*
Hoe kom ik het snelst in …?	· Qual'è la strada più diretta per …? *kwaale laastraadaa pjoe dierèttaa peer …?*
Hoeveel kilometer is het nog naar …?	· A quanti chilometri sta …? *aakwaantie kieloomeetrie staa …?*
Kunt u het op de kaart aanwijzen?	· Me lo potrebbe indicare sulla mappa? *meeloo pootrèbbee iendiekaaree sòelaa màapaa?*

Non lo so, non sono di questa città/regione	Ik weet het niet, ik ben hier niet bekend
Ha sbagliato strada	U zit verkeerd
Deve ritornare a …	U moet terug naar …
Là, deve seguire le indicazioni	Daar wijzen de borden u verder
Là, chieda di nuovo	Daar moet u het opnieuw vragen
Vada dritto	rechtdoor
Giri a sinistra	linksaf
Giri a destra	rechtsaf
Volti a destra/sinistra	afslaan
Segua	volgen
Attraversi	oversteken

l'incrocio	de kruising
la strada	de straat
il semaforo	het verkeerslicht
la galleria	de tunnel
il cartello stradale di 'incrocio di precedenza'	het verkeersbord 'voorrangskruising'
il palazzo	het gebouw
all'angolo	op de hoek
il fiume	de rivier
il viadotto	het viaduct
il ponte	de brug
il passaggio a livello	de spoorwegovergang/de spoorbomen
le indicazioni in direzione di ...	het bord richting ...
la freccia	de pijl

5.1 Douane

Grensdocumenten: geldig paspoort of toeristenkaart. Voor auto en motor: geldig rijbewijs en kentekenbewijs, motorrijtuigenbelastingkaart, groene kaart en NL-plaat. Caravan: moet bijgeschreven zijn op de groene kaart en rijden onder hetzelfde kenteken.
In- en uitvoerbepalingen:
Valuta: vrije in- en uitvoer van Italiaanse en buitenlandse betaalmiddelen.
Alcoholica (vanaf 17jaar): 1½ liter drank met meer dan 22% alcohol of 3 liter minder sterke drank. Daarbij 5 liter niet-mousserende wijn.
Tabaksartikelen (vanaf 17 jaar): 300 sigaretten of 150 cigarillo's of 75 sigaren of 400 gr. tabak.

Passaporto prego	Uw paspoort a.u.b.
La carta verde prego	De groene kaart a.u.b.
Il libretto d'immatricolazione prego	Het kentekenbewijs a.u.b.
Il visto prego	Uw visum a.u.b.
Dove va?	Waar gaat u naartoe?

		59
Quanto tempo intende rimanere?	Hoelang bent u van plan te blijven?	
Ha qualcosa da dichiarare?	Heeft u iets aan te geven?	
Per favore, mi apra questo/a	Wilt u deze openmaken?	

Mijn kinderen zijn bijgeschreven in dit paspoort	· I miei figli sono registrati in questo passaporto *ie mjejfieljie soonoo reedzjiestraatie ienkwestoo paasaaportoo*
Ik ben op doorreis	· Sono di passaggio *soonoo die paasàadzjoo*
Ik ga op vakantie naar …	· Passerò le vacanze a … *paaseero leevaakaantsee aa …*
Ik ben op zakenreis	· Sono in viaggio d'affari *soonoo ienvjàadzjoo daafaarie*
Ik weet nog niet hoelang ik blijf	· Non so quanto tempo rimarrò *nonsoo kwaantoo tempoo riemaaro*
Ik blijf hier een weekend	· Rimarrò qui un weekend *riemaaro kwie oen wiekend*
— een paar dagen	· Rimarrò qui qualche giorno *riemaaro kwie kwaalkee dzjoornoo*
— een week	· Rimarrò qui una settimana *riemaaro kwie oenaa seetiemaanaa*
— twee weken	· Rimarrò qui due settimane *riemaaro kwie doe-ee seetiemaanee*
Ik heb niets aan te geven	· Non ho niente da dichiarare *nonnoo njentee daa diekjaaraaree*
Ik heb — bij me	· Ho – *oo –*
— een slof sigaretten	· Ho una stecca di sigarette *oo oenaa stèekaa die sieĝaarèetee*
— een fles …	· Ho una bottiglia di … *oo oenaa bootieljaa die …*
— enkele souvenirs	· Ho qualche souvenir *ookwaalkee soeveenier*
Dit zijn persoonlijke spullen	· E' roba personale *erroobaa persoonaalee*

ONDERWEG

Deze spullen zijn niet nieuw	• Questa roba non è nuova *kweestaa roobaa nonne nwoovaa*
Hier is de bon	• Ecco lo scontrino *èkkoo loskontrienoo*
Dit is voor eigen gebruik	• Serve per uso personale *servee per oezoo persoonaalee*
Hoeveel moet ik aan invoerrechten betalen?	• Quante tasse d'importazione devo pagare? *kwaantee tàasee diempoortaatsieoonee deevoo paaĝaaree?*
Mag ik nu gaan?	• Posso andare adesso? *pòssoo aandaaree aadèssoo?*

5.2 Bagage

Kruier!	• Facchino! *faakienoo!*
Wilt u deze bagage naar … brengen a.u.b.?	• Per favore, potrebbe portare questi bagagli a … *per faavoore, pootrèbbee poortaaree kweestie baaĝaaljie aa …*
Hoeveel krijgt u van mij?	• Quanto Le devo? *kwaantoo leedeevoo?*
Waar kan ik een bagage-wagentje vinden?	• Dove posso trovare un carrello? *doovee pòssoo troovaaree oen kaarèlloo?*
Kan ik deze bagage in bewaring geven?	• E' possibile dare in consegna questi bagagli? *eppossiebielee daaree ienkoonseenjaa kweestie baaĝaaljie?*
Waar zijn de bagage-kluizen?	• Dove sono gli armadietti? *doovee soonoo ljie aarmaadie-èttie?*
Ik krijg de kluis niet open	• Non riesco ad aprire l'armadietto *non rie-eskoo aadaaprieree laarmaadie-èttoo*
Hoeveel kost het per stuk per dag?	• Quanto costa al giorno ogni collo? *kwaantoo koostaa aaldzjoornoo oonjie kòlloo?*
Dit is niet mijn tas/koffer	• Non è la mia borsa/valigia *nonne laamieaa boorsaa/vaaliedzjaa*

Er ontbreekt nog een stuk/ tas/koffer	· Manca un collo/una borsa/una valigia
	maangkaa oenkòlloo/oenaa boorsaa/oenaa 61
	vaaliedzjaa
Mijn koffer is beschadigd	· La mia valigia è danneggiata
	laamieaa vaaliedzjaa eddaaneedzjaataa

5.3 Verkeersborden

accendere i fari (in galleria)
lichten aan (in de tunnel)
alt
stop
area/stazione di servizio
service-/tankstation
attenzione
pas op
autocarri
vrachtwagens
banchina non consolidata/non transitabile
zachte berm
caduta massi
vallend gesteente
cambiare corsia
andere rijstrook gebruiken
chiuso al traffico
afgesloten voor al het verkeer
corsia di emergenza
noodrijstrook
curve
bochten
deviazione
omleiding
disco orario (obbligatorio)
parkeerschijf verplicht
divieto di passaggio
verboden doorgang
divieto di sorpasso/di sosta
verboden in te halen/te parkeren

fine strada con diritto di precedenza
einde voorrangsweg
galleria
tunnel
incrocio
kruising
(isola/zona) pedonale
voetgangers-(gebied)
lasciare libero il passo/ passaggio
uitgang/doorgang vrijlaten
lavori in corso
werk in uitvoering
pagamento pedaggio
tol
parcheggio a pagamento/ riservato a ...
parkeerplaats tegen betaling/ gereserveerd voor ...
parcheggio custodito
bewaakte parkeerplaats
passaggio a livello
spoorwegovergang
passaggio limitato in altezza
beperkte doorrijhoogte
passo carrabile
laden en lossen
pericolo(so)
gevaar(lijk)
pioggia o gelo per km. ...
regen of ijzel over ... km

precedenza 　voorrang •	**traffico interrotto** 　verkeer gestremd
rallentare 　snelheid minderen	**transito con catene** 　sneeuwkettingen verplicht
senso unico 　eenrichtingsverkeer	**uscita** 　uitrit/afrit
senso vietato 　inrijden verboden	**velocità massima** 　maximumsnelheid
soccorso stradale 　wegenwacht	**vietato l'accesso/ai pedoni/ l'autostop** 　verboden toegang/voor voet- 　gangers/te liften
sosta limitata 　beperkte parkeerduur	
strada deformata/in dissesto 　slecht wegdek	**vietato svoltare a destra/ sinistra** 　verboden rechts/links af te 　slaan
strada interrotta 　opgebroken weg	
strettoia 　wegversmalling	**zona disco** 　parkeerzone met schijf
tenere la destra/sinistra 　rechts/links houden	**zona rimozione ambo i lati** 　wegsleepzone aan beide 　kanten van de straat+

5.4 De auto

Afwijkende verkeersregels:
- **maximumsnelheid** op *autostrade* (autosnelwegen)

130 km: personenauto's boven 1100 cc en motoren boven 350 cc
110 km: personenauto's tot 1100 cc en motoren van 150 tot 350 cc
100 km: personenauto's met caravan
90 km: autobussen
80 km: vrachtwagens
- **maximumsnelheid** op autowegen:
90 km: personenauto's en motoren
80 km: personenauto's met caravan
70 km: autobussen
60 km: vrachtwagens
- **bergwegen**: verplicht claxonneren bij onoverzichtelijke bochten.

Italië kent het systeem van benzinebonnen. In Nederland of aan de Italiaanse grens (verder in Italië niet) kunt u boekjes kopen met voordeelbonnen voor benzine (niet voor diesel en LPG). U betaalt met deze bonnen aan de pomp uw benzine. De aankoop van benzinebonnen is gecombineerd met de aankoop van een betaalpas voor betaling van tolgeld op de Italiaanse *autostrada*'s. U heeft daardoor ook recht op gratis en onbeperkte Wegenwachthulp. In geval van schade aan uw auto die niet binnen 12 uur te repareren is, krijgt u gratis een auto ter vervanging voor maximaal 10 dagen. LPG wordt in het Italiaans aangeduid met *GPL* of *gas*.

Hoeveel kilometer is het naar het volgende benzinestation?	• A quanti chilometri sta il prossimo distributore di benzina? *aakwaantie kieloomeetrie staa ielpròosiemoo diestrieboetooree diebeendzienaa?*
Ik wil ... liter —	• Vorrei ... litri di – *vorrej ... lietrie die–*
— superbenzine	• Vorrei ... litri di super *vorrej ... lietrie diesoeper*
— normale benzine	• Vorrei ... litri di normale *vorrej ... lietrie dienormaalee*
— diesel	• Vorrei ... litri di gasolio *vorrej ... lietrie dieĝaazoolieoo*
— loodvrije benzine	• Vorrei ... litri di benzina senza piombo *vorrej ... lietrie diebendzienaa sentsaa pjoomboo*
Ik wil voor ... lire LPG	• ... lire di gas per favore *... lieree dieĝaas peer faavooree*
Vol a.u.b.	• Mi faccia il pieno per favore *miefaatsjaa ielpjeenoo peer faavooree*
Wilt u — controleren?	• Mi controlli –? *miekontròllie –?*
— het oliepeil	• Mi controlli il livello dell'olio per favore? *miekoontròllie iel lievèlloo deeloolieoo peer faavooree?*

De onderdelen van de auto (de genummerde onderdelen zijn afgebeeld)

#	Nederlands	Italiano	uitspraak
1	accu	batteria	*batteriea*
2	achterlicht	il fanale posteriore	*iel fanaalee posterioree*
3	achteruitkijkspiegel	lo specchietto retro-	*loo spekkjetto reetroo-*
	achteruitrijlamp	la luce di retromarcia	*laa loetsjee die reetroomartsja*
4	antenne	antenna	*antenna*
	autoradio	autoradio (v)	*aoetoraadioo*
5	benzinetank	serbatoio della benzina	*serbatoojoo della benziena*
6	bougies	le candele	*lee kandeelee*
	brandstoffilter/pomp	filtro/pompa della benzina	*fieltroo/pompaa della benziena*
7	buitenspiegel	lo specchietto esterno	*loo spekkjetto esternoo*
8	bumper	il paraurti	*iel paraoerti*
	carburateur	il carburatore	*iel karboeratooree*
	carter	il carter	*iel karter*
	cilinder	cilindro	*tsjilindroo*
	contactpunten	le puntine	*lee poentienee*
	controlelampje	lampadina di controllo	*lampadiena die kontrolloo*
	dynamo	la dinamo	*laa dienamoo*
	gaspedaal	il pedale acceleratore	*iel pedaalee atsjeleratooree*
9	handrem	freno a mano	*freenoo aa maanoo*
	knalpot	valvola	*valvoolaa*
	klep	il silenziatore	*iel sielentsiatooree*
10	kofferbak	cofano portabagagli	*kofaanoo portabagaalje*
11	koplamp	faro	*faaroo*
	krukas	albero a gomiti	*albeeroo aa gomieti*
12	luchtfilter	filtro d'aria	*fieltroo daaria*
	mistachterlicht	faro antinebbia	*faaroo antinebbia*
13	motorblok	il motore	*iel motooree*
	nokkenas	albero a camme	*albeeroo aa kamme*
	oliefilter/pomp	filtro/pompa dell'olio	*fieltroo/pompaa delloolioo*
	oliepeilstok	misura livello olio	*miezoeraa liwelloo olioo*
14	pedaal	il pedale	*iel pedaalee*
	portier	lo sportello	*loo sportelloo*
15	radiateur	il radiatore	*iel radiatooree*
16	remschijf	disco freno	*diskoo freenoo*
	reservewiel	ruota di scorta	*roeotaa die skortaa*
17	richtingaanwijzer	indicatore (m) di direzione	*indikatooree die diretsiooee*
18	ruitenwisser	tergicristallo	*terdzjikristalloo*
19	schokbrekers	gli ammortizzatori	*lji ammortiddzatori*
	schildak	tettuccio apribile	*tettoetsjoo apriebielee*
	startmotor	motorino d'avviamento	*motoriinoo davviamentoo*
20	stuurhuis	albero del volante	*albeeroo del volantee*
21	uitlaatpijp	tubo di scarico	*toeboo die skaarikoo*
22	veiligheidsgordel	cintura di sicurezza	*tsjintoeraa die siekoreddza*
	ventilator	il ventilatore	*iel ventilatooree*
23	verdeelerkabels	i cavi d'accensione	*ie kaavi datsjensiooee*
24	versnellingshandel	scatola del cambio	*skaatolaa del kambioo*
25	voorruit	il parabrezza	*iel parabreddza*
	waterpomp	pompa dell'acqua	*pompaa dellakwa*
26	wiel	ruota	*roeotaa*
27	wieldop	coppa (della ruota)	*koppaa della roeotaa*
	zuiger	il pistone	*iel pistooee*

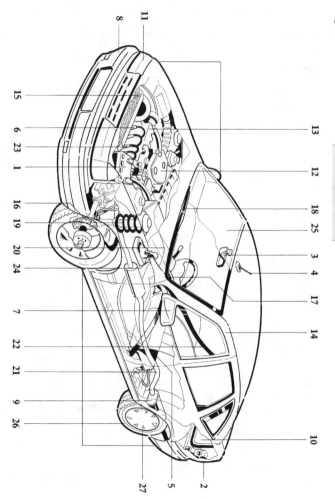

| — de bandenspanning | · Mi controlli la pressione delle gomme per favore?
miekoontròllie laapressie<u>oo</u>nee dèelee ĝòomee peer faav<u>oo</u>ree? |

Kunt u de olie verversen?	· Mi potrebbe cambiare l'olio? *miepootrèbbee kaambj<u>aa</u>ree l<u>oo</u>lieoo?*
Kunt u de ruiten/de voorruit schoonmaken?	· Mi potrebbe lavare il parabrezza? *miepootrèbbee laav<u>aa</u>ree ielpaaraabrèetsaa?*
Kunt u de auto een wasbeurt geven?	· Mi potrebbe lavare la macchina? *miepootrèbbee laav<u>aa</u>ree laamàakienaa?*

5.6 Pech en reparaties

Ik heb pech. Kunt u me even helpen?	· Sono rimasto/a in panne. Mi potrebbe dare una mano? *s<u>oo</u>noo riem<u>aa</u>stoo/aa ienpàanee. mie pootrèbbee d<u>aa</u>ree oenaa m<u>aa</u>noo?*
Ik sta zonder benzine	· Sono rimasto/a senza benzina *s<u>oo</u>noo riem<u>aa</u>stoo/aa sentsaa bendzienaa*
Ik heb de sleuteltjes in de auto laten zitten	· Ho lasciato le chiavi dentro alla macchina *oolaasj<u>aa</u>too leekj<u>aa</u>vie dentroo àalaa màakienaa*
De auto/motorfiets/ brommer start niet	· La macchina/la moto(cicletta)/il motorino non si accende *laamàakienaa/laam<u>oo</u>too(tsjiekl<u>ee</u>taa)/ielmootoori<u>e</u>noo nonsie aatsj<u>e</u>ndee*
Kunt u voor mij de we- genwacht waarschuwen?	· Mi potrebbe avvisare il soccorso stradale? *miepootrèbbee aaviez<u>aa</u>ree ielsokk<u>oo</u>rsoo straad<u>aa</u>lee?*
Kunt u voor mij een garage bellen?	· Mi potrebbe chiamare un garage? *miepootrèbbee kjaam<u>aa</u>ree oenĝar<u>aa</u>zj?*
Mag ik met u meerijden naar —?	· Mi darebbe un passaggio fino a -? *miedaarèbbee oen paasàadzjoo fi<u>e</u>noo aa -?*

— een garage/de stad	· Mi darebbe un passaggio fino al prossimo garage/fino alla prossima città? 67 *miedaarèbbee oen paasàadzjoo fienaal pròssiemo ĝaaraazj/fienoo aalaa pròssiemaa tsjietaa?*
— een telefooncel	· Mi darebbe un passaggio fino al prossimo telefono pubblico? *miedaarèbbee oen paasàadzjoo fienoo aal pròssiemoo teeleefoonoo pòebliekoo?*
— een praatpaal	· Mi darebbe un passaggio fino alla prossima colonnina del soccorso stradale? *miedaarèbbee oen paasàadzjoo fienoo àalaa pròssiemaa kooloonienaa deelsokkoorsoo straadaalee?*

Kan mijn (brom)fiets ook mee?	· Potrebbe caricare il mio motorino? *pootrèbbee kaariekaaree ielmieoo mootoorienoo?*
Kunt u mij naar een garage slepen?	· Mi potrebbe trainare a un garage? *miepootrèbbee traa-ienaaree aa oenĝaaraazj?*
Er is waarschijnlijk iets mis met ... (Zie 5.4 en 5.7)	· Probabilmente si è guastato/a/si sono guastati/e ... *proobaabielmentee sie eĝwaastaatoo/aa/siesoonoo ĝwaastaatie/ee ...*
Kunt u het repareren?	· Me lo potrebbbe aggiustare? *meelo pootrèbbee aadzjoestaaree?*
Kunt u mijn band plakken?	· Mi potrebbe aggiustare la gomma? *miepootrèbbee aadzjoestaaree laaĝòomaa?*
Kunt u dit wiel verwisselen?	· Potrebbe cambiare questa ruota? *pootrèbbee kaambjaaree kweestaa rwootaa?*
Kunt u het zo repareren dat ik ermee naar ... kan rijden?	· Me lo potrebbe aggiustare in modo da poter arrivare fino a ...? *meelo pootrèbbee aadzjoestaaree ienmoodoo daapooteer aarievaaree fienoo aa ...?*
Welke garage kan me wel helpen?	· Qual'altro garage potrebbe aiutarmi? *kwaalaaltroo ĝaaraazj pootrèbbee aajoetaarmie?*

Wanneer is mijn auto/ fiets klaar?	· La mia macchina/bicicletta, quando sarà pronta? *laamieaa màakienaa/bietsjieklèetaa, kwaandoo saaraa proontaa?*
Kan ik er hier op wachten?	· Ha fatto subito? *aafàatoo soebietoo?*
Hoeveel gaat het kosten?	· Quanto sarà il prezzo? *kwaantoo saaraa ielprètsoo?*
Kunt u de rekening specificeren?	· Mi potrebbe specificare il conto? *miepootrèbbee speetsjiefiekaaree ielkoontoo?*
Mag ik een kwitantie voor de verzekering?	· Mi potrebbe dare una ricevuta per l'assicurazione? *miepootrèbbee daaree oenaa rietsjeevoetaa per laasiekoeraatsieoonee?*

Mi mancano i pezzi di ricambio per la Sua macchina/bicicletta	Ik heb geen onderdelen voor uw wagen/fiets
Devo andare a prendere i pezzi di ricambio altrove	Ik moet de onderdelen ergens anders gaan halen
Devo ordinare i pezzi di ricambio	Ik moet de onderdelen bestellen
Ci vorrà una mezza giornata	Dat duurt een halve dag
Ci vorrà un giorno	Dat duurt een dag
Ci vorrà qualche giorno	Dat duurt een paar dagen
Ci vorrà una settimana	Dat duurt een week
La macchina ha dei danni irreparabili	Uw auto is total loss
Non si può più far niente	Daar valt niets meer aan te doen
La macchina/la moto(cicletta)/ il motorino/la bicicletta sarà pronta alle ...	De auto/motor/brommer/fiets is om ... uur klaar

5.7 De (brom)fiets

Het fietstoerisme staat in Italië nog in de kinderschoenen. Er bestaan geen speciale fietskaarten en het huren van fietsen behoort niet tot de structurele mogelijkheden. Al zult u in Italië een andere indruk krijgen, het dragen van een helm op de bromfiets is verplicht.

Ik wil graag een ... huren	· Vorrei prendere a noleggio un/una ... *vorrej prendeeree aanoolèdzjoo oen/oenaa* ...
Heb ik daarvoor een (bepaald) rijbewijs nodig?	· Mi occorre una (certa) patente? *mieokkòoree oena (tsjertaa) paatentee?*
Ik wil de ... huren voor —	· Vorrei prendere a noleggio il/la ... per ... *voorej prendeeree aanoolèdzjoo iel/laa ... per ...*
— een dag	· Vorrei prendere a noleggio il/la ... per un giorno *vorreij prendeeree aanoolèdzjoo iel/laa per oen dzjoornoo*
— twee dagen	· Vorrei prendere a noleggio il/la ... per due giorni *vorreij prendeeree aanoolèedzjoo iel/laa ... per doe-ee dzjoornie*
Wat kost dat per dag/ week?	· Quanto costa al giorno/alla settimana? *kwaantoo kostaa aal dzjoornoo/àalaa seetiemaanaa?*
Hoeveel is de borgsom?	· Quant'è la cauzione? *kwaante laakautsieoonee?*
Mag ik een bewijs dat ik de borgsom betaald heb?	· Mi potrebbe dare lo scontrino della cauzione? *miepootrèbbee daaree loskoontrienoo dèelaa kautsieoonee?*
Hoeveel toeslag komt er per kilometer bij?	· Quant'è il supplemento di prezzo al chilometro? *kwaante ielsoepleementoo dieprètsoo aalkieloomeetroo?*
Is de benzine erbij in- begrepen?	· E' compresa la benzina? *ekkompreezaa laabendzienaa?*
Is de verzekering erbij inbegrepen?	· E' compresa l'assicurazione? *ekkompreezaa laasiekoeraatsieoonee?*
Hoe laat kan ik de ... morgen ophalen?	· A che ora potrei venire a prendere il/la ...? *aakeeooraa pootrej veenieree aaprendeeree iel/laa ...?*

De onderdelen van de fiets (de genummerde onderdelen zijn afgebeeld)

1 achterlicht	fanalino di coda	*faanaliinoo diekhooda*
2 achterwiel	ruota posteriore	*rwooäta posteerioore*
3 bagagedrager	il portapacchi	*ilportaapäkkie*
4 balhoofd	pesta della forcella	*peesta deläa*
5 bel	campanello	*kaampaanélloo*
binnenband	camera d'aria	*kaameera daariaa*
buitenband	il copertone	*ilkoopertoone*
6 crank	pedivella	*peediveéllaa*
7 derailleur	cambio	*kaambjoo*
draadje	filo	*fieloo*
dynamo	dinamo	*diennaamoo*
fietskar	carrello	*kaarélloo*
frame	telaio	*teelajoo*
8 jasbeschermer	- (bestaat niet)	
9 ketting	catena	*kaateenaa*
kettingkast	copricatena	*koopriekaateenaa*
kettingslot	lucchetto a catena	*loekkéttoo aakaateenaa*
kilometerteller	contachilometri	*kontaakieloomeétrie*
kinderzitje	seggiolino	*sedzjoolienoo*
10 koplamp	fanale	*faanaale*
lampje	lampadina	*laampaadienaa*
11 pedaal	pedale	*peedaale*
12 pompje	pompa	*poompaa*
13 reflector	catarifrangente	*kaataarie/fraandzjeénte*
14 remblokje	gommino del freno	*goommienoo deélfreenoo*
15 remkabel	cavo del freno	*kaavoo deélfreenoo*
16 ringslot	antifurto	*aantiefoerto*
17 snelbinders	gli elastici	*lje eelaastietsje*
snelheidsmeter	tachimetro	*taakiemeetroo*
18 spaak	raggio	*raädzjoo*
19 spatbord	parafango	*paaraafaangoo*
20 stuur	manubrio	*maanoebrioo*
21 tandwiel	ruota dentata	*rwooäta dentaataa*
toeclip	il fermapiedi	*ielfeermaapieedie*

22 trapas	il perno/l'asse del pedale	*ielpeérnoo/l'asse deélpeedaale*
trommelrem	freno a tamburo	*freenoo aatamboeroo*
23 velg	cerchione	*tjerkioone*
24 ventiel	valvola	*vaalvoolaa*
ventielslangetje	tubicino della valvola	*toebietsjienoo deélvaalvoolaa*
25 versnellingskabel	cavo del cambio	*kaavoo deélkaambjoo*
26 voorvork	forcella	*foortsjéllaa*
27 voorwiel	ruota anteriore	*rwooäta anteerioore*
28 zadel	sellino	*sellienoo*

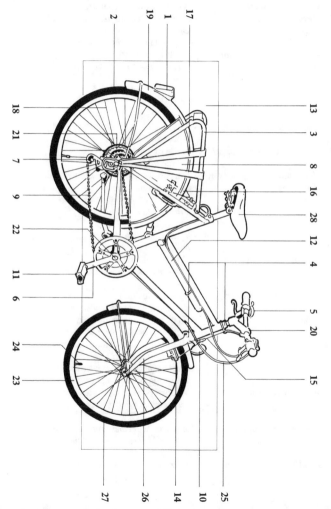

Wanneer moet ik de ... terugbrengen?	• A che ora dovrò riportare il/la ...? *aakeeooraa doovro rieportaaree iel/laa ...?*
Waar zit de tank?	• Dove sta il serbatoio? *doovee staa iel serbaatoojoo?*
Wat voor brandstof moet erin?	• Quale carburante occorre? *kwaalee kaarboeraantee okkòoree?*

5.9 Liften

Waar gaat u naar toe?	• Dove va? *doovee vaa?*
Mag ik met u meerijden?	• Mi da un passaggio? *miedaa oenpaasàadzjoo?*
Mag mijn vriend/vriendin ook mee?	• Darebbe un passaggio anche al mio amico/alla mia amica? *daarèbbee oenpaasàadzjoo aangkee aalmieoo aamiekoo/àalaa mieaa aamiekaa?*
Ik moet naar ...	• Voglio andare a ... *voljoo aandaaree aa ...*
Ligt dat op de weg naar ...?	• Si trova sulla strada per ...? *sietroovaa sòelaa straadaa peer ...?*
Kunt u me — afzetten?	• Mi potrebbe far scendere ...? *miepootrèbbee faarsjeendeeree ...?*
— hier	• Mi potrebbe far scendere qui? *miepootrèbbee faarsjeendeeree kwie?*
— bij de afrit naar ...	• Mi potrebbe far scendere all'entrata dell'autostrada per ...? *miepootrèbbee faarsjeendeeree aaleentraataa deelautoostraadaa peer ...?*
— in het centrum	• Mi potrebbe far scendere al centro? *miepootrèbbee faarsjeendeeree aaltsjentroo*
Wilt u hier stoppen a.u.b.?	• Si potrebbe fermare qui per favore? *siepootrèbbee feermaaree kwie per faavooree?*
Dank u wel voor de lift	• Grazie per il passaggio *ĝraatsie-ee peer ielpaasàadzjoo*

6.1 Algemeen

Omroepberichten

Il treno per ... delle ore ... viaggia con un ritardo di (circa) ... minuti	De trein naar ... van ... uur heeft een vertraging van ... minuten.
E' in arrivo sul binario ... il treno per .../proveniente da ...	Op spoor ... komt binnen de trein naar .../uit ...
E' in partenza dal binario ... il treno per ...	Op spoor ... staat nog gereed de trein naar ...
Oggi il treno per ... delle ore ... partirà dal binario ...	De trein naar ... van ... uur vertrekt vandaag van spoor ...
La prossima stazione è ...	We naderen station ...

OPENBAAR VERVOER

Waar gaat deze trein naartoe?	• Dove va questo treno? *dooveevaa kweestoo treenoo?*
Gaat deze boot naar ...?	• Questo traghetto va a ...? *kweestoo traagêetoo vaa aa ...?*
Kan ik deze bus nemen om naar ... te gaan?	• Posso prendere questo autobus per andare a ...? *pòssoo prendeeree kweestoo autooboes peer aandaaree aa ...?*
Stopt deze trein in ...?	• Questo treno si ferma a ...? *kweestoo treenoo siefeermaa aa ...?*
Is deze plaats bezet/vrij/ gereserveerd?	• E' occupato/libero/prenotato questo posto? *e okkoepaatoo/liebeeroo/preenootaatoo kweestoo postoo?*
Ik heb ... gereserveerd	• Ho prenotato ... *oo preenootaatoo ...*
Wilt u me zeggen waar ik moet uitstappen voor ...?	• Mi potrebbe indicare la fermata per ...? *mie pootrèbbee iendiekaaree laa feermaataa peer ...?*

Wilt u me waarschuwen als we bij ... zijn?	· Mi potrebbe avvisare quando saremo arrivati a ...?
	mie pootrèbbee aaviezaaree kwaandoo saareemoo aarievaatie aa ...?
Wilt u bij de volgende halte stoppen a.u.b.?	· Si potrebbe fermare alla prossima fermata?
	siepootrèbbee feermaaree àalaa pròssiemaa feermaataa?
Waar zijn we hier?	· Dove siamo?
	doovee sieaamoo?
Moet ik er hier uit?	· Devo scendere adesso?
	deevoo sjeendeeree aadèssoo?
Zijn we ... al voorbij?	· Siamo già passati per ...?
	sieaamoo dzjaa paasaatie peer ...?
Hoelang heb ik geslapen?	· Quanto tempo ho dormito?
	kwaantoo tempoo oodormietoo?
Hoelang blijft ... hier staan?	· Quanto tempo il treno si fermerà
	kwaantoo tempoo ieltreenoo sie feermeeraa?
Kan ik op dit kaartje ook weer terug?	· Questo biglietto è valido anche per il viaggio di ritorno?
	kweestoo bieljèetoo evvaaliedoo aangkee per ielvjaadzjoo dierietoornoo?
Kan ik met dit kaartje overstappen?	· Posso cambiare con questo biglietto?
	pòssoo kaambjaaree koon kweestoo bieljèetoo?
Hoelang is dit kaartje geldig?	· Quanto tempo è valido questo biglietto?
	kwaantoo tempoo evvaaliedoo kweestoo bieljèetoo?

6.2 Vragen aan passagiers

Soort plaatsbewijs

Prima o seconda classe?	Eerste klas of tweede klas?
Andata o andata e ritorno?	Enkele reis of retour?
Fumatori o non fumatori?	Roken of niet roken?
Vicino al finestrino?	Aan het raam?
Avanti o dietro?	Voorin of achterin?

Un posto o una cuccetta?	Zitplaats of couchette?
Sopra, in mezzo o sotto?	Boven, midden of onder?
Classe turistica o prima classe?	Toeristenklasse of businessclass?
Una cabina o un posto a sedere?	Hut of stoel?
Una cabina singola o per due?	Eenpersoons of tweepersoons?
Quanti siete a viaggiare?	Met hoeveel personen reist u?

Bestemming

Dove va?	Waar gaat u naartoe?
Quando parte?	Wanneer vertrekt u?
La partenza è alle ...	Uw ... vertrekt om ...
Deve cambiare	U moet overstappen
Deve scendere a ...	U moet uitstappen in ...
Deve viaggiare per ...	U moet via ... reizen
L'andata è il ...	De heenreis is op ...
Il ritorno è il ...	De terugreis is op ...
Deve imbarcarsi ultimamente alle ...	U moet uiterlijk ... aan boord zijn

In het vervoermiddel

Biglietti prego	Uw plaatsbewijs a.u.b.
La prenotazione prego	Uw reservering a.u.b.
Passaporto prego	Uw paspoort a.u.b.
Ha sbagliato posto	U zit op de verkeerde plaats
Ha sbagliato ...	U zit in de verkeerde ...
Questo posto è prenotato	Deze plaats is gereserveerd
Deve pagare un supplemento	U moet toeslag betalen
Il/la ... viaggia con un ritardo di ... minuti	De ... heeft een vertraging van ... minuten

Waar kan ik —?	• Dove posso …?
	doovee pòssoo …?
— een kaartje kopen	• Dove posso comprare un biglietto?
	doovee pòssoo koompraaree oenbieljèetoo?
— een plaats reserveren	• Dove posso prenotare un posto?
	doovee pòssoo preenootaaree oenpostoo?
— een vlucht boeken	• Dove posso prenotare un volo?
	doovee pòssoo preenootaaree oenvoooloo?
Mag ik — naar …?	• … per … per favore
	… peer … peer faavooree
— een enkele reis	• Un'andata per … per favore
	oenaandaataa … per faavooree
— een retour	• Un'andata e ritorno per favore
	oenaandaataa eerietoornoo per faavooree
eerste klasse	• prima classe
	priemaa klàasee
tweede klasse	• seconda classe
	seekoondaa klàasee
toeristenklasse	• classe turistica
	klàasee toeriestiekaa
businessclass	• prima classe
	priemaa klàasee
Ik wil een zitplaats/cou-	• Vorrei prenotare un posto/una cuccetta/
chette/hut reserveren	una cabina
	vorrej preenootaaree oenpostoo/oenaa
	koetsjèetaa/oenaa kaabienaa
Ik wil een plaats in de	• Vorrei prenotare un posto nella carozza
slaapwagen reserveren	letto
	vorrej preenootaaree oenpostoo nèelaa
	kaaròtsaa lèttoo
boven/midden/onder	• sopra/in mezzo/sotto
	soopraa/ienmèdzoo/sòotoo
roken/niet roken	• fumatori/non fumatori
	foemaatoorie/nonfoemaatoorie
aan het raam	• vicino al finestrino
	vietsjienoo aal fienestrienoo

eenpersoons/twee-persoons	· singola/per due *sienḡḡoolaa/perdoe-ee*
voorin/achterin	· nella parte davanti/in fondo *nèelaa paartee daavaantie/ienfoondoo*
We zijn met … personen	· Siamo in … *sieaamoo ien …*
een auto	· Abbiamo una macchina *aabjaamoo oenaa màakienaa*
een caravan	· Abbiamo una roulotte *aabjaamoo oenaa roelot*
… fietsen	· Abbiamo … biciclette *aabjaamoo … bietsjieklèetee*
Heeft u ook een —?	· Ha un/una –? *aa oen/oenaa –?*
— meerrittenkaart	· Ha una tessera valida dieci corse? *aa oenaa tèsseeraa vaaliedaa djeetsjie corsee?*
— weekabonnement	· Ha un abbonamento settimanale? *aa oen aaboonaamentoo seetiemaanaalee?*
— maandabonnement	· Ha un abbonamento mensile? *aa oen aaboonaamentoo meensielee?*

6.4 Inlichtingen

Voor bus, tram en metro verschillen de tarieven per stad/streek. Op de plaatselijke VVV-kantoren kunt u alle inlichtingen over het openbaar vervoer krijgen.

Waar is —?	· Dov'è –? *doove –?*
— het inlichtingenbureau	· Dov'è l'ufficio informazioni? *doove loefietsjoo ienfoormaatsieoonie?*
— een overzicht van de vertrektijden/aan-komsttijden	· Dov'è l'orario delle partenze/degli arrivi? *doove looraarieoo dèelee paartentsee/deeljie aarievie?*
Waar is de balie van …?	· Dov'è il banco di … *doove ielbaangkoo die …?*

Heeft u een plattegrond van de stad met het bus-/metronet?	· Avrebbe una pianta della città con le linee degli autobus/del metrò? *aavrèbbee oenaa pjaantaa dèelaa tsjietaa koon leelienee-ee deeljie autooboes/ delmeetro?*
Heeft u een dienst-regeling?	· Avrebbe un orario? *aavrèbbee oenooraarieoo?*
Ik wil mijn reservering/ reis naar ... bevestigen/ annuleren/wijzigen	· Vorrei confermare/annullare/cambiare la mia prenotazione per/il mio viaggio a ... *vorrej koonfeermaaree/aanoelaaree/ kaambjaaree laamieaa preenootaatsieoonee peer/ielmieoo vjàadzjoo aa ...*
Krijg ik mijn geld terug?	· Le spese mi saranno rimborsate? *leespeezee mie saaràanoo riemboorsaatee?*
Ik moet naar ... Hoe reis ik daar (het snelst) naar toe?	· Vorrei andare a ... Qual'è il modo più diretto per andarci? *voorej aandaaree aa .. kwaalè ielmoodoo pjoedierèttoo peer aandaartsjie?*
Hoeveel kost een enkele reis/retour naar ...?	· Quanto costa un'andata/un'andata e ritorno per ...? *kwaantoo kostaa oenaandaataa/ oenaandaataa eerietoornoo peer ...?*
Moet ik toeslag betalen?	· Devo pagare un supplemento? *deevoo paagaaree oen soepleementoo?*
Mag ik de reis met dit ticket onderbreken?	· Posso interrompere il viaggio con questo biglietto? *pòssoo ienteeroompeeree ielvjàadzjoo koon kweestoo bieljèetoo?*
Hoeveel bagage mag ik meenemen?	· Quanti chili di bagagli posso portare con me? *kwaantie kielie diebaagaaljie pòssoo portaaree koonmee?*
Gaat deze ... recht-streeks?	· E' un ... diretto? *e oen ... dierèttoo?*
Moet ik overstappen? Waar?	· Devo cambiare? Dove? *deevoo kaambjaaree? doovee?*
Maakt het vliegtuig tussenlandingen?	· E' un volo con scali? *e oen vooloo konskaalie?*
Doet de boot onderweg havens aan?	· Il traghetto fa scalo ad altri porti? *ieltraagèetoo faaskaaloo aadaaltrie portie?*

deze trein : questo treno

Stopt de trein/bus in …?	• Questo treno/autobus si ferma a …?
	kweestoo treenoo/autooboos siefeermaa aa
	…?
Waar moet ik uitstappen?	• Dove devo scendere?
	doovee deevoo sjeendeeree?
Is er een aansluiting naar …?	• C'è una corrispondenza per …?
	tsje oenaa kooriespoondentsaa peer …?
Hoelang moet ik wachten?	• Quanto tempo devo aspettare?
	kwaantoo tempoo deevoo aaspeetaaree?
Wanneer vertrekt …?	• Quando parte …?
	kwaandoo paartee …?
Hoe laat gaat de/het eerste/volgende/laatste …?	• A che ora parte il/la primo/a/il/la prossimo/a/l'ultimo/a …?
	aakeeooraa paartee iel/laa priemoo/aa/iel/ laa pròssiemoo/aa/loeltiemoo/aa …
Hoelang doet … erover?	• Quanto tempo impiega …?
	kwaantoo tempoo iempjeeĝaa …?
Hoe laat komt … aan in …?	• A che ora arriverà … a …?
	aakeeooraa aarieveeraa … aa …?
Waar vertrekt de/het … naar …?	• Da dove parte il/la … per …?
	daadoovee paartee iel/laa … per …?
Is dit … naar …?	• Questo è … per …?
	kweestoo e … peer …?

6.5 Vliegtuig

Als toerist zult u waarschijnlijk met een chartervlucht aankomen op een van de Italiaanse luchthavens. Soms zijn er twee luchthavens naast elkaar, een voor de *voli charter* (charters) en een voor *voli di linea* (lijnvluchten). Meestal zijn er op de luchthavens twee ingangen: *partenze* (vertrek) en *arrivi* (aankomst). Na het inchecken (*accettazione*) krijgt u een *carta d'imbarco* (instapkaart) en wordt u verteld via welke *uscita* (uitgang) u naar het vliegtuig moet lopen.

accettazione	**partenza**
incheckbalie	vertrek
arrivo	**voli domestici**
aankomst	binnenlandse vluchten
internazionale	
internationaal	

6.6 Trein

Over het algemeen is de trein in Italië goedkoper dan bij ons. De Italiaanse spoorwegen (*FS*) zijn verantwoordelijk voor het nationale treinverkeer. Er bestaan vele mogelijkheden tot reductie op trein-kaartjes, afhankelijk van de gezinsgrootte, het aantal kilometers, leef-tijd, aantal dagen enzovoort

Classificering van treinen:

RAPIDO: sneltrein tussen de voornaamste steden waarvoor een toeslag wordt berekend. Soms is reserveren vereist.

INTERCITY: sneltrein die alleen in de grote steden stopt. Ook hier een toeslag.

ESPRESSO: lange-afstandsneltrein eerste en tweede klas.

DIRETTO: sneltrein eerste en tweede klas.

LOCALE: stoptein eerste en tweede klas.

6.7 Taxi

Taxi's zijn er in Italië in overvloed en ze zijn goedkoper dan bij ons. Vooral in de grote steden rijden er duizenden. De gebruikelijke manier om een taxi te nemen is op straat wachten tot er een langskomt en uw hand opsteken. De meeste taxi's hebben een meter en de ritprijs is afhankelijk van afstand en tijdsduur, maar u kunt ook vooraf een vast bedrag afspreken. Toeslagen voor nachtritten en voor ritten naar het vliegveld zijn gebruikelijk.

libero vrij **occupato** bezet	**posteggio dei taxi** taxistandplaats

Taxi!
- Taxi!
  taaksie!

Kunt u een taxi voor me bellen?
- Mi potrebbe chiamare un taxi?
  miepootrèbbee kjaamaaree oen taaksie?

Waar kan ik hier in de buurt een taxi nemen?
- Dove posso prendere un taxi qui vicino?
  doovee pòsso prendeeree oen taaksie kwie vietsjienoo?

ww: portare : Brengen

Brengt u me naar — a.u.b.	· Mi porti a – per favore *miep<u>o</u>rtie aa – peer faav<u>oo</u>ree*
— dit adres	· Mi porti a questo indirizzo per favore *miep<u>o</u>rtie aakw<u>ee</u>stoo iendieri<u>e</u>tsoo peer faav<u>oo</u>ree*
— hotel …	· Mi porti all'albergo … per favore *miep<u>o</u>rtie aalaalb<u>e</u>rĝoo … peer faav<u>oo</u>ree*
— het centrum	· Mi porti al centro per favore *miep<u>o</u>rtie aaltsj<u>e</u>ntroo peer faav<u>oo</u>ree*
— het station	· Mi porti alla stazione per favore *miep<u>o</u>rtie <u>àa</u>laa staatsie<u>oo</u>nee peer faav<u>oo</u>ree*
— het vliegveld	· Mi porti all'aeroporto per favore *miep<u>o</u>rtie <u>aa</u>laaeer<u>oo</u>p<u>o</u>rtoo peer faav<u>oo</u>ree*
Hoeveel kost een rit naar …?	· Quanto costa una corsa fino a …? *kw<u>aa</u>ntoo k<u>o</u>staa <u>oe</u>naa k<u>oo</u>rsaa aa …?*
Hoever is het naar …?	· Quanto è lontano …? *kw<u>aa</u>ntoo elloont<u>aa</u>noo …?*
Ik heb haast	· Ho fretta *oofr<u>è</u>ttaa*
Kunt u iets harder/lang- zamer rijden?	· Può accelerare/andare più piano? *pwo aatsjeeleer<u>aa</u>ree/aand<u>aa</u>ree pjoepj<u>aa</u>noo?*
Kunt u een andere weg nemen?	· Può prendere un'altra strada? *pwo pr<u>e</u>ndeeree oen<u>aa</u>ltraa str<u>aa</u>daa?*
Laat u me er hier maar uit	· Mi faccia scendere adesso *mief<u>a</u>atsjaa sj<u>ee</u>ndeeree aad<u>è</u>esoo*
U moet hier —	· Vada – *v<u>aa</u>daa –*
— rechtdoor	· Vada dritto *v<u>aa</u>daa dr<u>ì</u>etoo*
— linksaf	· Vada a sinistra *v<u>aa</u>daa aasieni<u>e</u>straa*
— rechtsaf	· Vada a destra *v<u>aa</u>daa aad<u>e</u>straa*
Hier is het	· Siamo arrivati *sie<u>aa</u>moo aariev<u>aa</u>tie*
Kunt u een ogenblikje op mij wachten?	· Mi potrebbe aspettare un attimo? *miepootr<u>è</u>bbee aaspett<u>aa</u>ree oen<u>àa</u>tiemoo?*

7.1 Algemeen

De hotels in Italië zijn op de volgende manier geclassificeerd:
5 sterren: luxe hotel
4 sterren: eerste klas hotel
3 sterren: zeer comfortabel hotel
2 sterren: comfortabel hotel
1 ster: eenvoudig hotel
Bij de tarieven moet men een aantal punten in de gaten houden:
- de minimum- en maximumprijzen zijn sterk afhankelijk van het seizoen, de landstreek en/of bestemming
- de tarieven in de grote steden en de bekende toeristische bestemmingen liggen meestal hoger dan in de provincie
- na aankomst kan men de prijzen altijd controleren, deze moeten op de kamer zijn vermeld.

Ook de campings zijn ingedeeld in categorieën: van 1 tot 4 sterren, van eenvoudig en met weinig extra service, tot luxe met veel extra's. De prijzen kunnen sterk verschillen, al naar gelang het seizoen en de streek. Alle prijzen worden per nacht berekend. Sommige campings berekenen aparte prijzen voor tent/caravan en auto, andere hebben één prijs voor tent/caravan en auto samen, de zogenaamde *piazzola*. Op veel campings wordt een bedrag voor elektriciteitsverbruik in rekening gebracht. Voor kinderen t/m 12 jaar geldt een reductie.

Informatie over het huren van kamers, woningen en appartementen kunt u inwinnen bij de toeristische informatiebureaus. Deze bemiddelen echter niet bij de reservering. Daarvoor moet men bij een reisbureau of een bemiddelingsbureau zijn.

Italië heeft ongeveer 50 jeugdherbergen. Om hier te kunnen slapen, moet je lid zijn van de Internationale Jeugdherbergcentale.

Quanto tempo vuole rimanere?	Hoelang wilt u blijven?
Mi compili questo modulo, per favore	Wilt u dit formulier invullen a.u.b.

Potrei avere il Suo passaporto?	Mag ik uw paspoort?
Deve pagare una caparra	U moet een borgsom betalen
Deve pagare in anticipo	U moet vooruit betalen

Mijn naam is … Ik heb een plaats gereserveerd (telefonisch/schriftelijk)	• Il mio nome è … Ho prenotato un posto *iel mieoo noomee e … oo preenootaatoo oenpostoo*
Wat kost het per nacht/week/maand?	• Quanto costa per una notte/alla settimana/al mese? *kwaantoo kostaa peer oenaa nòttee/àalaa seetiemaanaa/aalmeesee?*
We blijven minstens … nachten/weken	• Vogliamo rimanere minimo … notti/settimane *vooljaamoo riemaaneeree mieniemoo … nòttie/seetiemaanee*
We weten het nog niet precies	• Non lo sappiamo di preciso *non lossaapjaamoo diepreetsjiezoo*
Zijn huisdieren (honden/katten) toegestaan?	• Sono permessi gli animali domestici (cani/gatti)? *soonoo peermèesie ljie aaniemaalie doomestietsjie (kaanie/ĝàatie)?*
Hoe laat gaat het hek/de deur open/dicht?	• A che ora si apre/si chiude il cancello? *aakeeooraa sieaapree/siekjoedee ielkaantsjèlloo?*
Wilt u een taxi voor me bellen?	• Mi potrebbe chiamare un taxi? *miepootrèbbee kjaamaaree oentaaksie?*
Is er post voor mij?	• C'è posta per me? *tsjeppostaa peermee?*

LOGEREN EN KAMPEREN

7.2 Kamperen

Scelga pure un posto	U mag zelf uw plaats uitzoeken
Le verrà indicato un posto	U krijgt een plaats toegewezen
Ecco il numero del Suo posto	Dit is uw plaatsnummer
Attacchi bene questo sulla macchina per favore	Wilt u dit op uw auto plakken?
Non può perdere questa tesserina	U mag dit kaartje niet verliezen

Kampeeruitrusting

bagagenet	lo spazio per i bagagli	*loipuassioo per iehoaglaifni*
blikopener	apriscatole (m)	*aaprisskatoiole*
butagasfles	bombola a gas butano	*boymbhoolaa aagaas*
1 fietstas	sacca da bicicletta	*slahoa daahieesjiekljtua*
2 gasstel	fornello da campeggio	*formelioo daak-*
		aampeidigno
3 grondzeil	pavimento della tenda	*paurimento deelua*
		tenlia
hamer	martello	*martelloo*
4 jerrycan	anica	*aamaikua*
kampvuur	tanica	*tazmikua*
	fuoco	*fuoobno*
5 klapstoel	strapuntino	*straupoentigno*
6 koelbox	borsa frigo	*boorsaa frigkoo*
koelelement	accumulatori di freddo	*aakkoomoduciopne*
		diefreedoo
kompas	bussola	*boesoolaa*
kousje	reticella	*reetiastjilla*
kurketrekker	cavatappi	*kaavaataalgni*
7 luchtbed	materassino gonfiabile	*gonfigabieiae*
		maaterraasiomo
8 luchtbedstopje	tappino	*taapiegoo*
luchtpomp	pompa d'aria	*poompaa daarioa*
9 luifel	pensilina	*pensiliegnaa*
10 matje	materassino	*maaterraasismo*
11 pan	pentola	*pentoolaa*
12 pannegreep	manico per le pentole	*magniekoo per*
		laerpentoolae
primus	fornello a spirito	*foornelloo aaspirietoo*
rits	chiusura lampo	*kjoesoeraa iszampoo*
13 rugzak	lo zaino	*lodsaigmo*
14 scheerlijn	corda di tensione	*kordua dietensisoone*
slaapzak	sacco a pelo	*slahoo aapegioo*
15 stormlamp	torcia a vento	*tortjua aa vento*
stretcher	brandina	*braandiena*
tafel	tavolino	*tazvoolisgno*
16 tent	tenda	*tsenda*
17 tentharing	picchetto	*piekhoo*
18 tentstok	asta da tenda	*astioa daatiegnlua*
thermosfles	il termos	*iełmos*
19 veldfles	borraccia	*boorragisa*
wasknijper	molletta	*molłetua*
waslijn	corda del bucato	*kordua deltboobkazioo*
windscherm	paravento	*paaraavento*
20 zaklantaarn	lampadina tascabile	*liampaudigmaa*
		iaszkaabieiae
zakmes	temperino	*temperiegno*

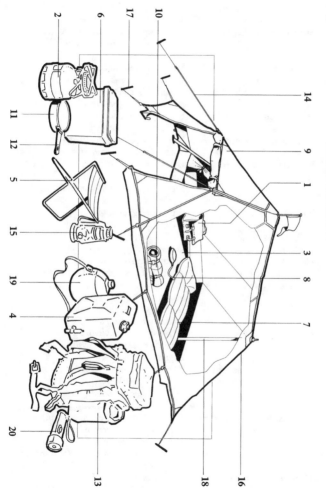

Waar is de beheerder?	· Dov'è l'amministratore? *doove laamieniestraatooree?*
Mogen we hier kampe-ren?	· E' permesso fare il campeggio qui? *eppeermèesoo faaree iel kaampèedzjoo kwie?*
We zijn met ... personen en ... tenten	· Siamo in ... e abbiamo ... tende *sieaamoo ien ... ee aabjaamoo ... tendee*
Mogen we zelf een plaats uitzoeken?	· Possiamo scegliere noi un posto? *possieaamoo sjeeljeere nooj oenpostoo?*
Heeft u een rustig plekje voor ons?	· Ha un posto tranquillo per noi? *aa oenpostoo traangkwìeloo peernooj?*
Heeft u geen andere plaats vrij?	· Non c'è un altro posto libero? *nontsje oenaaltroo postoo liebeeroo?*
Er is hier te veel wind/zon/ schaduw	· C'è troppo vento/troppo sole/troppa ombra qui *tsjettròppoo ventoo/tròppoo soolee/tròppaa oombraa kwie*
Het is hier te druk	· C'è troppa gente qui *tsjettròppaa dzjentee kwie*
De grond is te hard/ ongelijk	· La terra è troppo dura/ineguale *laatèrraa etròppoo doeraa/ieneêgwaalee*
Heeft u een horizontale plek voor de camper/ caravan/vouwwagen?	· Ha un posto orizzontale per il nostro camper/la nostra roulotte/il nostro carrello tenda? *aa oenpostoo ooriedzoontaalee per ielnostroo kaamper/laa nostraa roelot/iel nostroo kaarèlloo tendaa?*
Kunnen we bij elkaar staan?	· E' possibile stare vicini l'uno all'altro? *eppossiebielee staaree vietsjienie loenoo aalaaltroo?*
Mag de auto bij de tent geparkeerd worden?	· E' permesso parcheggiare la macchina vicino alla tenda? *eppeermèesoo paarkeedzjaaree laamàakienaa vietsjienoo àalaa tendaa?*
Wat kost het per persoon/ tent/caravan/auto?	· Quanto costa per persona/per una tenda/ per una roulotte/per una macchina? *kwaantoo kostaa peer peersoonaa/peer oenaa tendaa/peer oenaa roelot/peer oenaa màakienaa?*
Heeft u een hut te huur?	· Ha una capanna da affittare? *aa oenaa kaapàanaa daa aafietaaree?*

Zijn er —?	• Ci sono –? *tsjie<u>oo</u>noo –?*
— douches met warm water	• Ci sono delle docce calde? *tsjie<u>oo</u>noo dèelee dòotsjee k<u>aa</u>ldee?*
— wasmachines	• Ci sono delle lavatrici? *tsjie<u>oo</u>noo dèelee laavaatr<u>ie</u>tsjie?*

Is er op het terrein een —?	• Il campeggio ha –? *ielkaampèedzjoo aa –?*
— kinderspeelterrein	• Il campeggio ha un parco giochi? *ielkaampèedzjoo aa oenp<u>aa</u>rkoo dzj<u>oo</u>kie?*
— overdekte kookgelegenheid	• Il campeggio ha un posto coperto per cucinare? *ielkaampèedzjoo aa oenp<u>o</u>stoo koop<u>e</u>rtoo per koetsjien<u>aa</u>ree?*

Kan ik hier een kluis huren?	• E' possibile prendere a noleggio una cassetta di sicurezza? *eppossie<u>bie</u>lee pr<u>e</u>ndeeree aanoolèedzjoo <u>oe</u>naa kaasèetaa die siekoerèetsaa?*
Mogen we hier barbecuen?	• E' permesso fare il barbecue? *eppeermèesoo f<u>aa</u>ree iel baarbeekjoe?*
Zijn er elektriciteitsaansluitingen?	• Ci sono degli impianti di elettricità? *tsjie<u>oo</u>noo deelie iempj<u>aa</u>ntie die eelettr<u>ie</u>tsjiet<u>aa</u>*
Is er drinkwater?	• C'è acqua potabile? *tsje <u>àa</u>kwaa poot<u>aa</u>bielee?*
Wanneer wordt het afval opgehaald?	• Quando vengono a prendere i rifiuti? *kw<u>aa</u>ndoo veng<u>g</u>oonoo aapr<u>e</u>ndeeree ieri<u>e</u>fj<u>oe</u>tie?*
Verkoopt u gasflessen (butagas/propaangas)?	• Vende delle bombole di gas (gas butano/gas propano)? *v<u>e</u>ndee dèelee b<u>oo</u>mboolee dieĝ<u>aa</u>s (ĝaasboet<u>aa</u>noo/ĝaasproop<u>aa</u>noo)?*

7.3 Hotel/pension/appartement/huisje

Heeft u een eenpersoons/tweepersoons kamer vrij?	• Ha una camera singola/doppia? *aa <u>oe</u>naa k<u>aa</u>meeraa sieng<u>g</u>oolaa/dòopjaa?*

per persoon/per kamer	· per persona/per camera
	per persoonaa/per kaameeraa
Is dat inclusief ontbijt/ lunch/diner?	· E' inclusa la prima colazione?/E' incluso il pranzo?/E' inclusa la cena?
	e ienkloezaa laapriemaa koolaatsieoonee?/e ienkloezoo ielpraantsoo?/e ienkloezaa laatsjeenaa?
Kunnen wij twee kamers naast elkaar krijgen?	· E' possibile stare in due camere vicine l'una all'altra?
	eppossiebielee staaree iendoe-ee kaameeree vietsjienee loenaa aalaaltraa?
met/zonder eigen toilet/ bad/douche	· con/senza bagno/bagno/doccia
	koon/sentsaa baanjoo/baanjoo/dòotsjaa
aan de straatkant	· al lato della strada
	aalaatoo dèelaa straadaa
aan de achterkant	· sul retro
	soelreetroo
met/zonder uitzicht op zee	· che dà/che non dà sul mare
	keedaa/keenondaa soelmaaree
Is er in het hotel —?	· L'albergo dispone di/ha –?
	laalbergoo diespoonee die/aa –?
— een lift	· L'albergo dispone di un ascensore?
	laalbergoo diespoonee die oenaasjeensooree?
— roomservice	· L'albergo ha il servizio in camera?
	laalbergoo aa iel seervietsieoo ienkaameeraa?

Il bagno e la doccia sono allo stesso piano/nella Sua camera	Toilet en douche zijn op dezelfde verdieping/uw kamer
Prego, da questa parte	Deze kant op
La Sua camera è al ... piano, ha il numero ...	Uw kamer is op de ... etage, het nummer is ...

Mag ik de kamer zien?	· E' possibile vedere la camera?
	eppoosiebielee veedeeree laakaameeraa?
Ik neem deze kamer	· Prendo questa quà
	prendoo kweestaa kwaa
Deze bevalt ons niet	· Questa qui non ci piace
	kweestaa kwie non tsjiepjaatsjee

Heeft u een grotere/ goedkopere kamer?	· Ha una camera più grande/meno cara? *aa oenaa kaameeraa pjoeĝraandee/meenoo kaaraa?* 89
Kunt u een kinderbedje bijplaatsen?	· Potrebbe aggiungere un lettino per il bambino/la bambina? *pootrèbbee aadzjoendzjeeree oenlettienoo peer ielbaambienoo/laabaambienaa?*
Hoe laat is het ontbijt?	· A che ora c'è la colazione? *aakeeooraa tsje laa koolaatsieoonee?*
Waar is de eetzaal?	· Dov'è la sala da pranzo? *doovè laasaalaa daapraantsoo?*
Kan ik het ontbijt op de kamer krijgen?	· Mi potrebbe portare la prima colazione in camera? *miepootrèbbee portaaree laapriemaa koolaatsieoonee ienkaameeraa?*
Waar is de nooduitgang/ brandtrap?	· Dov'è l'uscita di sicurezza/la scala di sicurezza? *doovè loesjietaa die siekoerèetsaa/ laaskaalaa die siekoerèetsaa*
Waar kan ik mijn auto (veilig) parkeren?	· Dove posso parcheggiare la mia macchina (in un posto sicuro)? *doovee pòssoo paarkedzjaaree laamieaa màakienaa (ien oenpostoo siekoeroo)?*
De sleutel van kamer ... a.u.b.	· La chiave della camera ... per favore *laakjaavee dèelaa kaameeraa ... peer faavooree*
Mag ik dit in uw kluis leggen?	· Posso mettere questo nella sua cassetta di sicurezza? *pòssoo mètteeree kweestoo nèelaa soeaa kaasèetaa die siekoerèetsaa?*
Wilt u mij morgen om ... uur wekken?	· Mi potrebbe svegliare domani alle ...? *miepootrèbbee zveeljaaree doomaanie àalee ...?*
Kunt u mij aan een baby-oppas helpen?	· Mi potrebbe cercare una babysitter? *miepootrèbbee tsjeerkaaree oenaa beebiesieter?*
Mag ik een extra deken?	· Potrei avere un'altra coperta? *pootrej aaveeree oenaaltraa koopertaa?*
Op welke dagen wordt er schoongemaakt?	· In che giorno fanno le pulizie? *ienkee dzjoornoo fàanoo leepoelietsie-ee*

Wanneer worden de lakens/handdoeken/ theedoeken verschoond?
· Quando cambiano le lenzuola/gli asciugamani/gli strofinacci?
kwaandoo kaambjaanoo leeleentswoolaa/ ljie aasjoeĝaamaanie/ljie stroofienàatsjie?

7.4 Klachten

Wij kunnen niet slapen door het lawaai
· Non riusciamo a dormire per i rumori
non rieoesjaamoo aadormieree peer ieroemoorie

Kan de radio iets zachter?
· Può abbassare la radio?
pwo aabaasaaree laaraadieoo?

Het toiletpapier is op
· E' finita la carta igienica
effienietaa laakaartaa iedzjeeniekaa

Er zijn geen/niet genoeg …
· Non ci sono/ci sono troppo pochi/e …
non tsjiesoonoo/tsjiesoonoo tròppoo pookie/ ee …

Het beddegoed is vuil
· La biancheria è sporca
laa bjaankeerieaa espọrkaa

De kamer is niet schoon- gemaakt
· La camera non è stata pulita
laakaameeraa nonne staataa poelietaa

De keuken is niet schoon
· La cucina non è pulita
laakoetsjienaa nonne poelietaa

De keukenspullen zijn vies
· Gli utensili da cucina sono sporchi
ljie oetẹnsielie daakoetsjienaa soonoo spọrkie

De verwarming doet het niet
· Il riscaldamento non funziona
iel rieskaaldaamẹntoo non foentsieoonaa

Er is geen (warm) water/ elektriciteit
· Non c'è acqua (calda)/corrente
non tsje àakwaa (kaaldaa)/koorẹntee

… is kapot
· … non funziona/è rotto/a
… non foentsieoonaa/erròtooo/aa

Kunt u dat in orde laten brengen?
· Potrebbe farlo aggiustare?
pootrèbbee faarlo aadzjoestaaree?

Mag ik een andere kamer/ plaats voor de tent?
· Posso cambiare camera/posto per la tenda?
pòssoo kaambjaaree kaameeraa/postoo per laa laatẹndaa?

Het bed kraakt ontzettend
· Il letto scricchiola terribilmente
ielèttoo skriekjoolaa terriebielmẹntee

Het bed zakt te veel door	· Il letto cede troppo
	ielèttoo tsjeedee tròppoo
Heeft u een plank voor onder de matras?	· Mi potrebbe dare una tavola da mettere sotto il materasso?
	miepootrèbbee daaree oenaa taavoolaa daametteeree sòotoo iel maateeràasoo?
Er is te veel lawaai	· C'è troppo rumore
	tsjettròppoo roemooree
We hebben last van ongedierte/insekten	· Siamo disturbati da animale nocivi/insetti
	sieaamoo diestoerbaatie daa aaniemaalie nootsjievie/iensèttie
Het stikt hier van de muggen	· E' pieno di zanzare
	eppjeenoo die dzaandzaaree
— Nederlanders	· E' pieno di olandesi
	eppjeenoo die oolaandeezie

7.5 Vertrek

Zie ook 8.2 *Afrekenen*.

Ik vertrek morgen. Kan ik nu afrekenen?	· Domani parto. Mi potrebbe fare il conto adesso?
	doomaanie paartoo. miepootrèbbee faaree ielkoontoo aadèssoo?
Hoe laat moeten wij van … af?	· A che ora dobbiamo lasciare …?
	aakeeooraa doobjaamoo laasjaaree …?
Mag ik mijn borgsom/paspoort terug?	· Mi potrebbe riconsegnare la caparra/il passaporto?
	miepootrèbbee riekoonseenjaaree laakaapàaraa/iel paasaaportoo?
We hebben erge haast	· Abbiamo molta fretta
	aabjaamoo mooltaa frèetaa
Mogen onze koffers hier blijven staan totdat we vertrekken?	· Possiamo lasciare le nostre valigie qui finchè non partiamo?
	poosieaamoo laasjaaree leenostree vaaliedzjee kwie fiengkee non paartieaamoo?
Bedankt voor uw gastvrijheid	· Grazie per l'ospitalità
	ĝraatsie-ee peer lospietaalietaa

8 Geldzaken

Banken zijn in de regel voor het publiek geopend van 9.00 – 13.00 uur en 16.00 – 16.30 uur en zijn op zaterdag gewoonlijk gesloten. Bij het wisselen van geld wordt meestal om een legitimatiebewijs gevraagd. Het opschrift *cambio* geeft aan dat u geld kunt wisselen. U kunt ook wisselen bij grote hotels, tegen een ongunstiger koers.

8.1 Bank

Waar is hier ergens een bank/een wisselkantoor?	• Dove c'é una banca/un'agenzia di cambio qui vicino? *doove tsje oenaa baangkaa/ oenaadzjentsieaa diekaambjoo kwie vietsjienoo?*
Waar kan ik deze traveller cheque/girobetaalkaart inwisselen?	• Dove posso riscuotere questo traveller cheque/assegno postale? *doovee pòssoo rieskwooteeree kweestoo traavellertsjek/aaseenjoo postaalee?*
Kan ik hier deze … inwisselen?	• E' possibile riscuotere qui questo/a … *eppoosiebielee rieskwooteeree kwie kweestoo/aa …?*
Kan ik hier met een creditcard geld op-nemen?	• E' possibile prelevare qui dei soldi con una carta di credito? *eppossiebielee preeleevaaree kwie deejsoldie koon oenaa kaartaa diekreedietoo?*
Wat is het minimum/ maximum?	• Qual'è la somma minima/massima? *kwaale lasòomaa mieniemaa/màasiemaa?*
Mag ik ook minder op-nemen?	• E' possibile prelevare una somma minore? *eppossiebielee preeleevaaree oenaa sòomaa mienooree?*
Ik heb telegrafisch geld laten overmaken. Is dat al binnen?	• Ho fatto fare una rimessa telegrafica. E' già arrivata? *oofàatoo faaree oenaa rieměesaa teeleegraafiekaa. edzjaa aarievaataa?*
Dit zijn de gegevens van mijn bank in Nederland/ België	• Ecco i dati della mia banca in Olanda/ Belgio *èkkoo iedaatie dèllaa mieaa baangkaa ien oolaandaa/beldzjoo*

Dit is mijn banknummer/ gironummer	· Ecco il numero del mio conto in banca/ conto corrente postale *èkkoo ielnoemeeroo del mieoo koontoo ienbaangkaa/koontoo koorentee postaalee*
Ik wil graag geld wisselen	· Vorrei cambiare dei soldi *vorreej kaambjaaree deejsoldie*
guldens tegen …	· fiorini olandesi in … *fjoorienie oolaandeezie ien …*
Belgische franken tegen …	· franchi belgi in … *fraangkie beldzjie ien …*
Hoeveel is de wissel- koers?	· A quanto sta il corso dei cambi? *aakwaantoo staa ielkorso deejkaambie?*
Kunt u me ook wat kleingeld geven?	· Mi potrebbe dare qualche moneta per favore? *miepootrèbbee daaree kwaalkee mooneetaa peer faavooree?*
Dit klopt niet	· C'è un errore *tsje oenerrooree*

GELDZAKEN

Firmi qui per favore	U moet hier tekenen
Compili questo modulo per favore	U moet dit invullen
Potrei vedere il Suo passaporto?	Mag ik uw paspoort zien?
Potrei vedere la Sua carta d'identità?	Mag ik uw identiteitsbewijs zien?
Potrei vedere la Sua carta assegni?	Mag ik uw giropasje zien?
Potrei vedere la Sua carta assegni?	Mag ik uw bankpasje zien?

8.2 Afrekenen

Kunt u het op mijn reke- ning zetten?	· Lo metta sul mio conto *lommèettaa soelmieoo koontoo*
Is de bediening (bij dit bedrag) inbegrepen?	· Il servizio è compreso? *ielservietsieoo ekkoompreezoo?*

Kan ik met — betalen?	· Potrei pagare con –? *pootrej paaĝaaree koon –?*
— een creditcard	· Potrei pagare con una carta di credito? *pootrej paaĝaaree koon oenaa kaartaa diekreedietoo?*
— een reischeque	· Potrei pagare con un assegno turistico? *pootrej paaĝaaree kon oenaaseenjoo toeriestiekoo?*
— vreemde valuta	· Potrei pagare con soldi stranieri? *pootrej paaĝaaree koon soldie straanie-eerie?*
U heeft me te veel/weinig (terug)gegeven	· Mi ha restituito troppo/troppo poco *mie aarestietoe-ietoo tròppoo/tròppoo pookoo*
Wilt u dit nog eens nare-kenen?	· Potrebbe verificare di nuovo? *pootrèbbee veeriefiekaaree dienwoovoo?*
Kunt u me een kwitantie/ de kassabon geven?	· Mi potrebbe dare una ricevuta/lo scontrino? *miepootrèbbee daaree oenaa rietsjeevoetaa/ loskoontrienoo?*
Ik heb niet genoeg geld bij me	· Non mi bastano i soldi *non miebaastaanoo iesoldie*

Non accettiamo le carte di credito/gli assegni turistici/i soldi stranieri	We nemen geen creditcards/reis-cheques/vreemde valuta aan

Alstublieft, dit is voor u	· Prego, è per Lei *preeĝoo, eppeerlej*
Houdt u het wisselgeld maar	· Tenga il resto *tengĝaa ielrestoo*

9.1 Post

Zie voor girozaken 8 *Geldzaken*.

Op de postkantoren kunt u alleen 's ochtends terecht. Postzegels kunt u zowel in het postkantoor als in tabakswinkels (*tabacchi*, herkenbaar aan het blauwe bord met hoofdletter T) kopen.

De brievenbussen zijn rood. *Per la città* betekent 'stadspost'; *per tutte le altre destinazioni* betekent 'voor alle andere bestemmingen'; *lettere* = brieven; *stampe* = drukwerk; *espressi* = exprespost.

Voor het inwisselen van uw girokaarten moet u zijn bij: *pagamento conti correnti, vaglia*. Andere opschriften: *pacchi* = postpakketten; *informazioni* = informatie; *raccomandante* = aangetekende brieven; *distribuzione corrispondenza* = poste restante.

francobolli	**telegrammi**
postzegels	telegrammen
pacchi	**vaglia postali**
pakjes	postwissels

Waar is —?	• Dov'è –?
	doove –?
— hier ergens een post-kantoor	• Dov'è l'ufficio postale più vicino?
	doove loefietsjoo postaalee pjoe vietsjienoo?
— het hoofdpostkantoor	• Dov'è l'ufficio postale centrale?
	doove loefietsjoo postaalee tsjentraalee?
— hier ergens een brie-venbus	• Dov'è la buca da lettere più vicina?
	doove laaboekaa daalètteeree pjoe vietsjienaa?
Welk loket moet ik heb-ben voor —?	• Lo sportello per –, qual è?
	losportèlloo peer –, kwaale?
— faxen	• Lo sportello per fare un fax, qual è?
	losportèlloo peer faaree oenfaaks, kwaale?

— geld wisselen	· Lo sportello per cambiare dei soldi, qual è? *losportèlloo peer kaambjaare deejsoldie, kwaale?*
— girocheques	· Lo sportello per i vaglia di conto corrente postale, qual è? *losportèlloo peer ievaaljaa diekoontoo koorentee postaalee, kwaale?*
— telegrafische giro-overmaking	· Lo sportello per fare una rimessa telegrafica, qual è? *losportèlloo peer faaree oenaa riemèesaa teeleegraafiekaa, kwaale?*
Poste restante	· Lo sportello per il fermo posta, qual è? *losportèlloo peer ielfeermoo postaa, kwaale?*
Is er post voor mij? Mijn naam is ...	· C'è posta per me? Il mio nome è ... *tsjepostaa peermee? ielmieoo noomee e ...*

Postzegels

Hoeveel moet er op een ... naar ...?	· Quanti francobolli ci vogliono per ... spedito/a in ...? *kwaantie fraangkoobòolie tsjievoljoonoo per ... speedietoo/aa ien ...?*
Zit er genoeg aan postzegels op?	· Bastano questi francobolli? *baastaanoo kweestie fraangkoobòolie?*
Ik wil graag ... postzegels van ...	· Vorrei ... francobolli da ... *vorrej ... fraangkoobòolie daa ...*
Ik wil dit — versturen	· Vorrei spedire questo/a – *vorrej speedieree kweestoo/aa –*
— per expresse	· Vorrei spedire questo/a ... per espresso *vorrej speedieree kweestoo/aa ... per eesprèssoo*
— per luchtpost	· Vorrei spedire questo/a ... per posta aerea *vorreij speedieree kweestoo/aa ... per postaa aaeereeaa*

| — aangetekend | · Vorrei spedire questo/a ... raccomandato/a |
| | *vorrej speediere kweestoo/aa ... raakoomaandaataa* |

Telegram/telefax

Ik wil graag een telegram versturen naar ...	· Vorrei spedire un telegramma a ...
	vorreij speedieree oenteeleegràamaa aa ...
Hoeveel kost het per woord?	· Quanto costa a parola?
	kwaantoo kostaa aa paaroolaa?
Dit is de tekst die ik wil versturen	· Ecco il testo che vorrei spedire
	èkkoo ieltestoo kee vorrej speedieree
Zal ik het formulier zelf invullen?	· Desidera che compili io il modulo?
	deeziedeeraa kee koompielie ieoo ielmoodoeloo?
Kan ik hier fotokopiëren/faxen?	· E' possibile fare una fotocopia qui/spedire un fax da qui?
	eppossiebielee faaree oenaa footookoopjaa kwie/speedieree oenfaaks daa kwie?
Hoeveel kost het per pagina?	· Quanto costa per una pagina?
	kwaantoo koostaa peer oenaa paadzjienaa?

PTT

9.2 Telefoon

Zie ook 1.8 *Telefoonalfabet*.

Voor openbare telefoons heeft men vaak speciale munten nodig, *gettoni*, die men in tabakswinkels, bars en kiosken kan kopen. Steeds meer openbare telefoons werken ook met munten van 200 en 500 lire, of met een telefoonkaart, *scheda telefonica*.
Een geel bord met een zwart telefoontje aan de gevel van een bar, restaurant e.d. geeft aan dat er een openbare telefoon aanwezig is. Voor een telefoon met een tikker (*telefono a scatti*) kan men bij de SIP (Italiaanse PTT/Telecom) terecht, die in de grotere steden kantoren heeft.
Bellen vanuit Italië naar Nederland of België gaat als volgt: zonder onderbreking 0031 of 0032 draaien, gevolgd door het netnummer zonder 0 en het abonneenummer. Bij interlokaal bellen in Italië moet men het netnummer vooraf laten gaan door een nul en zonder onderbreking daarna het abonneenummer draaien.

Is hier ergens een tele- fooncel in de buurt?	· Senta, c'è una cabina telefonica qui vicino? *sentaa, tsje oenaa kaabienaa teleefooniekaa kwie vietsjienoo?*
Mag ik van uw telefoon gebruik maken?	· Potrei servirmi del Suo telefono? *pootrej serviermie del soeoo teleefoonoo?*
Heeft u een telefoongids van de stad …/de streek …?	· Ha un elenco telefonico della città di …/ della regione di …? *aa oeneelengkoo teleefooniekoo dèelaa tsjietaa die …/dèelaa reedzjoonee die …?*
Waar kan ik een telefoon- kaart kopen?	· Dove posso comprare una scheda telefonica? *doovee pòssoo koompraaree oenaa skeedaa teleefooniekaa?*
Kunt u me helpen aan het —?	· Mi potrebbe dare il –? *miepootrèbbee daaree iel –?*
— nummer van informa- tie buitenland	· Mi potrebbe dare il numero dell'ufficio informazioni per l'estero? *miepootrèbbee daaree ielnoemeeroo deeloefietsjoo ienfoormaatsieoonie per lesteeroo?*
— nummer van kamer …	· Mi potrebbe dare il numero della camera …? *miepootrèbbee daaree ielnoemeeroo dèelaa kaameeraa …?*
— internationale nummer	· Mi potrebbe dare il prefisso internazionale? *miepootrèbbee daaree ielpreefiesoo ienteernaatsieoonaalee?*
— landnummer van …	· Mi potrebbe dare il prefisso del/della …? *miepootrèbbee daaree ielpreefiesoo del/ dèelaa …?*
— kengetal van …	· Mi potrebbe dare il prefisso di …? *miepootrèbbee daaree ielpreefiesoo die …?*
— abonneenummer van …	· Mi potrebbe dare il numero dell'abbonato …? *miepootrèbbee daaree ielnoemeeroo deelaaboonaatoo …?*

Kunt u nagaan of dit nummer correct is?	· Potrebbe verificare se questo numero sè giusto? *pootrèbbee veeriefiekaaree see kweestoo noemeeroo se dzjoestoo?*
Kan ik automatisch bellen naar het buiten-land?	· E' possibile chiamare direttamente all'estero? *eppossiebielee kjaamaaree dierettaamentee aalesteeroo?*
Moet ik via de telefoniste bellen?	· Bisogna chiamare tramite il centralino? *biezoonjaa kjaamaaree traamietee iel tsjentraalienoo?*
Moet ik eerst een nul draaien?	· Bisogna prima fare lo zero? *biezoonjaa priemaa faaree lodzeeroo?*
Moet ik een gesprek aanvragen?	· Bisogna prenotare la telefonata? *biezoonjaa preenootaaree laa teeleefoonaataa?*
Wilt u het volgende nummer voor me bellen?	· Mi potrebbe fare il seguente numero per favore? *miepootrèbbee faaree iel seêgwentee noemeeroo peer faavooree?*
Kunt u me doorverbinden met .../toestel ...?	· Mi potrebbe passare .../l'apparecchio numero ...? *miepootrèbbee paasaaree .../laapaarèkjoo noemeeroo ...?*
Ik wil graag een collect call met ...	· Vorrei fare una telefonata a carico del destinatario, numero ... *vorrej faaree oenaa teeleefoonaataa aakaariekoo del destienaataarieoo, noemeeroo ...*
Wat kost het per minuut?	· Quanto costa al minuto? *kwaantoo kostaa aalmienoetoo?*
Heeft er iemand voor mij gebeld?	· C'è stata una chiamata per me? *tsjestaataa oenaa kjaamaataa peermee?*

Het gesprek

Hallo, u spreekt met ...	· Pronto, sono ... *proontoo, soonoo ...*
Met wie spreek ik?	· Chi parla? *kiepaarlaa?*

Spreek ik met …?	• Parlo a …?
	paarloo aa …?
Sorry, ik heb het ver-	• Scusi, ho sbagliato numero
keerde nummer gedraaid	*skoezie, oozbaaljaatoo noemeeroo*
Ik kan u niet verstaan	• Non La sento
	non laasentoo
Ik wil graag spreken met	• Vorrei parlare a …
…	*vorrej paarlaaree aa …*
Is er iemand die Neder-	• C'è qualcuno che parli olandese/inglese?
lands/Engels spreekt?	*tsje kwaalkoenoo keepaarlie ooloandeezee/*
	ienggleezee?
Mag ik toestel … van u?	• Mi passi l'apparecchio numero …?
	miepàasie laapaarèkjoo noemeeroo …?
Wilt u vragen of hij/zij me	• Potrebbe chiedergli/chiederle di
terugbelt?	richiamarmi?
	pootrèbbee kjeedeerljie/kjeedeerlee die
	riekjaamaarmie?
Mijn naam is … Mijn	• IL mio nome è … Il mio numero è …
nummer is …	*ielmieoo noomee e … ielmieoo noemeeroo e*
	…
Wilt u zeggen dat ik	• Gli/le dica che ho chiamato
gebeld heb?	*ljie/lee diekaa kee ookjaamaatoo*
Ik bel hem/haar morgen	• Lo/la richiamerò domani
terug	*lo/laa riekjaameero doomaanie*

La vogliono al telefono	Er is telefoon voor u
Bisogna prima fare lo zero	U moet eerst een nul draaien
Un attimo per favore	Heeft u een momentje?
Non risponde nessuno	Ik krijg geen gehoor
Il numero è occupato	Het toestel is bezet
Vuole aspettare?	Wilt u wachten?
Le passo …	Ik verbind u door met …
Il numero non è giusto	U heeft een verkeerd nummer
In questo momento non c'è	Hij/zij is op het ogenblik niet aanwezig
Ci sarà alle …	Hij/zij is … weer te bereiken
Questa è la segreteria telefonica di …	Dit is het automatisch ant-woordapparaat van …

In Italië zijn de winkels tussen de middag gesloten, van 13.00 uur tot 15.30 uur. 's Avonds zijn ze tot een uur of acht open. Op zondagmorgen zijn de banketbakkers open. Elke winkel is door de week een ochtend of middag gesloten. De *Standa* en *UPIM* zijn te vergelijken met V&D en de Hema; de *CO-OP* is een supermarkt.

alimentari
  kruidenier
barbiere
  herenkapper
bigiotteria
  bijouteriewinkel
calzature
  schoenenwinkel
calzolaio
  schoenmaker
cartoleria
  kantoorboekhandel
casalinghi
  huishoudelijke artikelen
copisteria
  fotokopiewinkel
edicola
  kiosk
enoteca
  vinotheek
erboristeria
  kruiden- en reformwinkel
farmacia
  apotheek en het 'medische'
  gedeelte van de drogist
fioraio
  bloemenwinkel
forno
  bakkerij
fruttivendolo
  groenteboer

gelateria
  ijssalon
gioielleria
  juwelierszaak
grande magazzino
  warenhuis
istituto di bellezza
  schoonheidssalon
latteria
  melkboer
lavanderia
  wasserij
lavanderia a gettone/a secco
  wasserette/stomerij
libreria
  boekhandel
macelleria
  slagerij
meccanico delle motociclette e delle biciclette
  fietsenmaker
mercato
  markt
merceria
  fourniturenwinkel
negozio dell'usato
  tweedehandswinkel
negozio di abbigliamento
  kledingzaak
negozio di articoli da campeggio
  kampeerwinkel

negozio di articoli di fotografia fotozaak	**panetteria** bakkerij
negozio di articoli sportivi sportzaak	**parrucchiere** dameskapper
negozio di biancheria per la casa linnengoedzaak	**pasticceria** banketbakkerij
negozio di dischi platenzaak	**pelletteria** lederwinkel
negozio di elettrodomestici winkel met elektrische huishoudelijke apparaten	**pellicceria** bonthandel
negozio di frutta e verdura groentewinkel	**pescivendolo** visboer
negozio di giocattoli speelgoedwinkel	**polleria** poelier
negozio di strumenti musicali muziekinstrumentenwinkel	**profumeria** drogist voor toiletartikelen; parfumerie
negozio fai-da-te doe-het-zelfwinkel	**salumeria** delicatessenzaak
oreficeria juwelierszaak	**supermarket/supermercato** supermarkt
orologeria klokkenwinkel	**tabacchi** tabakswinkel
ottico opticien	**vivaio** kwekerij

10.1 Winkelgesprekken

In welke winkel kan ik … krijgen?	· Dove posso comprare …? *doovee pòssoo koompraaree …?*
Wanneer is deze winkel open?	· Quando è aperto questo negozio? *kwaandoo e aapertoo kweestoo neegootsieoo?*
Kunt u me de … afdeling wijzen?	· Mi potrebbe indicare il reparto di …? *miepootrèbbee iendiekaaree ielreepaartoo die …?*
Kunt u me helpen? Ik zoek …	· Mi potrebbe aiutare? Cerco …? *miepootrèbbee aajoetaaree? tsjeerkoo …?*

Verkoopt u Nederlandse/	· Vende dei giornali olandesi/belghi?
Belgische kranten?	*vendee deej dzjoornaalie oolaandeezie/*
	belĝie?

| **Le servono di già?** | Wordt u al geholpen? |

Nee. Ik had graag ...	· No. Vorrei ...
	no. vorrej ...
Ik kijk wat rond, als dat	· Vorrei guardare un po', se è permesso.
mag	*vorrej gwaardaaree oenpo, see*
	eppeermèesoo

| **(Desidera) altro?** | Anders nog iets? |

Ja, geeft u me ook nog ...	· Sì, mi dia anche ...
	sie, miedieaa aangkee ...
Nee, dank u. Dat was het	· No grazie, basta così
	noĝraatsie-ee, baastaa koozie
Kunt u me ... laten zien?	· Mi potrebbe far vedere ...?
	miepootrèbbee faarveedeere ...?
Ik wil liever ...	· Preferisco ...
	preefeerieskoo ...
Dit is niet wat ik zoek	· Non è quello che cerco
	nonne kwèeloo keetsjeerkoo
Dank u. Ik kijk nog even	· Grazie. Proverò da qualche altra parte
ergens anders	*ĝraatsie-ee. prooveero daakwaalkee aaltraa*
	paartee

Heeft u niet iets dat — is?	· Ha qualcosa –?
	aa kwaalkoozaa –?
— goedkoper	· Ha qualcosa meno caro?
	aa kwaalkoozaa meenoo kaaroo?
— kleiner	· Ha qualcosa più piccolo?
	aa kwaalkoozaa pjoepìekooloo?
— groter	· Ha qualcosa più grande?
	aa kwaalkoozaa pjoeĝraandee?

Deze neem ik	· Prendo questo/a qui *prendoo kweestoo/aa kwie*
Zit er een gebruiksaanwijzing bij?	· C'è l'istruzione per l'uso? *tsje liestroetsie<u>oo</u>nee peerl<u>oe</u>zoo?*
Ik vind het te duur	· E' troppo caro *ettròppoo k<u>aa</u>roo*
Ik bied u …	· Le offro … *leeòffroo …*
Wilt u die voor mij bewaren? Ik kom het straks ophalen	· Me lo potrebbe tenere? Verrò a prenderlo più tardi *meeloppootrèbbee teen<u>ee</u>ree? verr<u>o</u> aaprendeerlo pjoet<u>aa</u>rdie*
Heeft u een tasje voor me?	· Ha una busta? *aa <u>oe</u>naa b<u>oe</u>staa?*
Kunt u het inpakken in cadeaupapier?	· Me lo potrebbe incartare come un regalo, per favore? *meeloppootrèbbee ienkaart<u>aa</u>ree k<u>oo</u>mee oenree<u>ĝaa</u>loo, peer faav<u>oo</u>ree?*

Mi dispiace, questo non ce l'abbiamo	Het spijt me, dat hebben we niet
Mi dispiace, sono finiti/e	Het spijt me, dat is uitverkocht
Mi dispiace, arriverà solo tra …	Het spijt me, dat komt pas over … weer binnen
Paghi alla cassa	U kunt aan de kassa afrekenen
Non accettiamo le carte di credito	We nemen geen creditcards aan
Non accettiamo gli assegni turistici	We nemen geen reischeques aan
Non accettiamo i soldi stranieri	We nemen geen vreemde valuta aan

10.2 Levensmiddelen

Ik wil graag een ons …	· Vorrei un etto di … *vorrej oenèttoo die …*
— pond …	· Vorrei mezzo chilo/cinquecento grammi di … *vorrej mèdzoo k<u>ie</u>loo/tsjienkweetsjentoo ĝr<u>àa</u>mie die …*

— kilo …	· Vorrei un chilo di … *vorrej oenki̯eloo die …*

Wilt u het voor me —?	· Me lo potrebbe –? *meeloppootrèbbee –?*
— snijden in plakjes/ stukjes	· Me lo potrebbe affettare/tagliare a pezzi? *meeloppootrèbbee aafeet̯aaree/taalj̯aaree aapètsie?*
— raspen	· Me lo potrebbe grattugiare? *mee lo pootr̯èbbee ĝraatoedzj̯aaree?*
Kan ik het bestellen?	· Potrei ordinarlo? *pootrej oordien̯aarlo?*
Ik kom het morgen/om … uur ophalen	· Verrò a prenderlo domani/alle … *verr̯o aaprenderlo doom̯aanie/̯àalee …*
Is dit om te eten/drinken?	· Si può mangiare/bere questo? *siepw̯o maandzj̯aaree/b̯eeree kw̯eestoo?*
Wat zit erin?	· Cosa c'è dentro? *k̯oozaa tsjedd̯eentroo?*

10.3 Kleding en schoeisel

Ik heb in de etalage iets gezien. Zal ik het aan- wijzen?	· Ho visto qualcosa in vetrina. Vuole che Glielo indichi? *oovi̯estoo kwaalk̯oozaa ienveetri̯enaa . vw̯oolee kee lj̯eelo-i̯endiekie?*
Ik wil graag iets dat hierbij past	· Vorrei qualcosa che vada bene con questo/a *vorrej kwaalk̯oozaa kee v̯aadaa b̯eenee koonkw̯eestoo/aa*
Heeft u schoenen in dezelfde kleur als dit?	· Ha delle scarpe nello stesso colore di questo/a? *aad̯èelee sk̯aarpe nèelo stèesoo kool̯ooree diekw̯eestoo/aa?*
Ik heb maat … in Neder- land/België	· In Olanda/Belgio la mia misura è … *ien ool̯aandaa/b̯eldzjoo laami̯eaa miez̯oeraa e …*
Mag ik dit passen?	· Posso provare? *pòssoo proov̯aaree?*
Waar is de paskamer?	· Dov'è la cabina di prova? *doov̯e laak̯aabi̯enaa dieproovaa?*

Het past me niet	· Non mi va
	non mievaa
Dit is de goede maat	· Questa è la misura giusta
	kweestaa ellaamiezoeraa dzjoestaa
Het staat me niet	· Mi sta male
	mie staamaalee
Heeft u deze ook in het ...	· Ha questo/a qui in ...?
	aakweestoo/aa kwie ien ...?
Ik vind de hak te hoog/ laag	· Il tacco mi è troppo alto/basso
	ieltàakoo mie ettròppoo aaltoo/bàasoo
Is dit echt leer?	· E' pelle vera?
	eppèllee veeraa?
Is dit echt leer? (van schoenen)	· E' cuoio puro?
	ekkwojoo poeroo?
Ik zoek een ... voor een baby/kind van ... jaar	· Cerco un/una ... per un bimbo/una bimba/un bambino/una bambina di ... anni
	tsjeerkoo oen/oenaa ... per oenbiemboo/ oenaa biembaa/oenbaambienoo/oenaa baambienaa die ... àanie
Ik had graag een ... van —	· Vorrei un/una ... di –
	vorrej oen/oenaa ... die –
— zijde	· Vorrei un/una ... di seta
	vorrej oen/oenaa dieseetaa
— katoen	· Vorrei un/una ... di cotone
	vorrej oen/oenaa diekootoonee
— wol	· Vorrei un/una ... di lana
	vorrej oen/oenaa ... dielaanaa
— linnen	· Vorrei un/una ... di lino
	vorrej oen/oenaa ... dielienoo
Op welke temperatuur kan ik het wassen?	· A che temperatura e' lavabile ?
	aakee tempeeraatoeraa ellaavaabielee?
Krimpt het in de was?	· Si restringe durante il bucato?
	sierestriendzjee doeraantee ielboekaatoo?

Bucato a mano	**Lavaggio a secco**
Handwas	Chemisch reinigen
Bucato in lavatrice	**Non centrifugare**
Machinewas	Niet centrifugeren

Schoenreparaties

Kunt u deze schoenen repareren?
- Mi potrebbe aggiustare queste scarpe?
  miepootrèbbee aadzjoestaaree kweestee skaarpee?

Kunt u hier nieuwe zolen/ hakken onder zetten?
- Potrebbe risuolare queste scarpe/ rimetterci dei tacchi?
  pootrèbbee rieswoolaaree kweestee skaarpee/ riemèeteertsjie deej tàakie?

Wanneer zijn ze klaar?
- Quando saranno pronte?
  kwaandoo saaràanoo proontee?

Ik wil graag —
- Vorrei –
  vorrej –

— een doosje schoen- smeer
- Vorrei una scatolina di cera da scarpe
  vorrej oenaa skaatoolienaa dietsjeeraa daaskaarpee

— een paar veters
- Vorrei un paio di lacci
  vorrej oenpaajoo dielàatsjie

10.4 Foto en film

Ik wil graag een film- rolletje voor dit toestel
- Vorrei una pellicola per questo apparecchio
  vorrej oenaa peeliekoolaa per kweestoo aapaarèekjoo

— cassette
- Vorrei una cassetta
  vorrej oenaa kaasèetaa

— 126-cassette
- Vorrei una cassetta centoventisei
  vorrej oenaa kaasèetaa tsjentooveentiesej

— diafilm
- Vorrei una pellicola di diapositive
  vorrej oenaa peeliekoolaa die dieaapoozietievee

— filmcassette
- Vorrei una cassetta cinematografica
  vorrej oenaa kaasèetaa tsjieneemaatooğraafiekaa

| — videoband | · Vorrei un nastro video |
| | *vorreij oennaastroo viedeeoo* |

kleur/zwart-wit	· a colori/bianco e nero
	aakooloorie/bjaangkoo eeneeroo
super 8 mm	· super otto millimetri
	soeper òttoo mieliemeetrie
12/24/36 opnamen	· dodici/ventiquattro/trentasei pose
	doodietsjie/veentiekwàatroo/treentaasej
	poozee
ISO/ASA getal	· numero ASA/DIN
	noemeeroo aazaa/dien

Problemen

Wilt u de film in het toestel doen?	· Potrebbe mettere la pellicola nella macchina fotografica/nell'apparecchio?
	pootrèbbee mèeteeree laapeeliekoolaa nèelaa màakienaa footooğraafiekaa/ neelaapaarèeekjoo?
Wilt u de film uit de camera halen?	· Potrebbe levare la pellicola dalla macchina fotografica?
	pootrèbbee leevaaree laapeeliekoolaa dàalaa màakienaa footooğraafiekaa?
Moet ik de batterijen vervangen?	· Devo cambiare le pile?
	deevoo kaambjaaree leepielee?
Wilt u naar mijn camera kijken? Hij doet het niet meer	· Vorrebbe esaminare la mia macchina fotografica? Non funziona più
	vorrèbbee eezaamienaaree laamieaa màakienaa footooğraafiekaa? non foentsieoonaa pjoe
De ... is kapot	· ... è guasto/a
	... eğğwaastoo/aa
De film zit vast	· Il film/la pellicola si è bloccato/a
	ielfielm/laapeeliekoolaa sie ebblokkaatoo/ aa
De film is gebroken	· Il film/la pellicola si è rotto/a
	ielfielm/laapeeliekoola sie erròotoo/aa
De flitser doet het niet	· Il flash non funziona
	ielflesj non foentsieoonaa

Ik wil deze film laten ontwikkelen/afdrukken	• Vorrei far sviluppare/far stampare questa pellicola *vorrej faar zvieloepaaree/faar staampaaree kweestaa peeliekoolaa*
Ik wil graag … afdrukken van elk negatief	• Vorrei … copie di ogni negativo *vorrej … koopjee die oonjie neegaatievoo*
glanzend/mat	• lucido/opaco *loetsjiedoo/oopaakoo*
6 x 9 (zes bij negen)	• sei per nove *sej pernoovee*
Ik wil deze foto's bijbe- stellen	• Vorrei fare un'ordinazione supplementare di queste foto *vorrej faaree oenoordienaatsieoonee soepleementaaree diekweestee footoo*
Ik wil deze foto laten vergroten	• Vorrei far ingrandire questa foto *vorrej faar iengraandieree kweestaa footoo*
Hoeveel kost het ont- wikkelen?	• Quanto costa lo sviluppo? *kwaantoo kostaa lozvielòepoo?*
— het afdrukken	• Quanto costa la stampa? *kwaantoo kostaa laa staampaa?*
— de bijbestelling	• Quanto costa l'ordinazione supplementare? *kwaantoo kostaa loordienaatsieoonee soepleementaaree?*
— de vergroting	• Quanto costa l'ingrandimento? *kwaantoo kostaa liengraandiementoo?*
Wanneer zijn ze klaar?	• Quando saranno pronte? *kwaandoo saaràanoo proonte?*

10.5 Kapper

Moet ik een afspraak maken?	• Bisogna fare un appuntamento? *biezoonjaa faaree oen aapoentaamentoo?*
Kunt u me direct helpen?	• E' subito a mia disposizione? *essoebietoo aa mieaa diespoozietsieoonee?*

Hoelang moet ik wachten?	· Quanto devo aspettare?
	kwaantoo deevoo aspettaaree?
Ik wil mijn haar laten wassen/knippen	· Vorrei farmi lavare/tagliare i capelli
	vorrej faarmie laavaaree/taaljaaree iekaapèelie
Ik wil graag een shampoo tegen vet/droog haar	· Vorrei uno shampoo per i capelli grassi/ secchi
	vorrej oenoo sjaampoo peer iekaapèelie ḡràasie/sèekie
— tegen roos	· Vorrei uno shampoo contro la forfora
	vorrej oenoo sjaampoo koontroo laa foorfooraa
— een kleurshampoo	· Vorrei uno shampoo colorante
	vorrej oeno sjaampoo koolooraantee
— een shampoo met een conditioner	· Vorrei uno shampoo con doposciampo
	vorrej oenoo sjaampoo kon doopoosjaampoo
— coupe soleil	· Vorrei i colpi di sole
	vorrej iekolpie diesoolee
Heeft u een kleurenkaart a.u.b.?	· Ha la scala dei colori, per favore?
	aa laaskaalaa deejkooloorie, peer faavooree?
Ik wil dezelfde kleur houden	· Non vorrei cambiare colore
	non vorrej kaambjaaree koolooree
Ik wil het donkerder/ lichter	· Li vorrei più scuri/più chiari
	lievorrej pjoeskoerie/pjoekjaarie
Ik wil mijn pony kort	· Vorrei una frangetta corta
	vorrej oenaa fraandzjèttaa koortaa
— het van achteren niet te kort	· Vorrei i capelli di dietro non troppo corti
	vorrej iekaapèelie diedjeetroo non tròppoo koortie
— het hier niet te lang	· Qui non vorrei che siano troppo lunghi
	kwie non vorrej keesieaanoo tròppoo loengḡie
— (niet te veel) krullen	· Vorrei dei riccioli/non vorrei tanti riccioli
	vorrej deejrietsjoolie/non vorrej taantie rietsjoolie

Er moet een klein stukje/ flink stuk af	• Me li tagli un po' più corti/un bel po' più corti *meelietaaljie oenpo pjoekoortie/oenbelpo pjoekoortie*
Ik wil een heel ander model	• Vorrei un tutt'altro modello *vorrej oentoetaaltroo moodèlloo*
Ik wil mijn haar zoals op deze foto	• Vorrei un modello uguale a questa foto *vorrej oenmoodèlloo oeĝwaalee aakweestaa footoo*
Ik wil graag een gezichts-masker	• Vorrei una maschera per il viso *vorrej oenaa maaskeeraa per ielviezoo*

Come desidera che siano tagliati i capelli?	Hoe wilt u uw haar geknipt hebben?
Quale modello ha in mente?	Welk model heeft u op het oog?
Quale colore desidera?	Welke kleur moet het worden?
Le va bene la temperatura?	Is dit de goede temperatuur?
Desidera leggere qualcosa?	Wilt u iets te lezen hebben?
Desidera bere qualcosa?	Wilt u iets drinken?
Le va bene così?	Is het zo naar uw zin?

Wilt u mijn — bijknippen?	• Mi spunti –, per favore *miespoentie –, per favore*
— pony	• Mi spunti la frangetta, per favore *miespoentie laafraandzjèttaa, peer faavooree*
— baard	• Mi spunti la barba, per favore *miespoentie laabaarbaa, peer faavooree*
Scheren a.u.b.	• Mi faccia la barba, peer favore *miefààtsjaa laabaarbaa, per faavooree*
Ik wil met een mesje geschoren worden	• Vorrei essere raso con la lametta *vorrej èsseeree raazoo koon laalaamèetaa*

11 Informeren bij de VVV

11.1 Bezienswaardigheden

Voor toeristische informatie kan men terecht bij:
- *A.P.T.: azienda di promozione turistica*
- *ufficio I.A.T.: informazioni ed accoglienza turistica*
- *ufficio informazioni turistiche.*

Deze bureaus geven informatie over steden, bezienswaardigheden, dienstregelingen, culturele activiteiten. U kunt er geen hotel, trein of kaartje voor een concert reserveren.

De openingstijden hangen af van de grootte van de stad en het seizoen.

Waar is het VVV-kantoor?	· Senta, dov'è l'ufficio informazioni turistiche? *sentaa, doove loefietsjoo ienfoormaatsieoonie toeriestiekee?*
Heeft u een plattegrond van de stad?	· Ha una piantina della città, per favore? *aa oenaa pjaantienaa deelaa tsjietaa, peerfaavooree?*
Kunt u mij informatie geven over ...	· Mi potrebbe dare qualche informazione su ...? *miepootrèbbee daaree kwaalkee ienfoormaatsieoonee soe ...?*
Hoeveel moeten we u hiervoor betalen?	· Quanto Le dobbiamo per questo? *kwaantoo leedoobjaamoo peerkweestoo?*
Wat zijn de belangrijkste bezienswaardigheden?	· Quali sono i monumenti più interessanti da vedere? *kwaalie soonoo iemoonoementie pjoe ienteeressaantie daaveedeeree?*
Kunt u die aanwijzen op de kaart?	· Me li potrebbe indicare sulla mappa? *meeliepootrèbbee iendiekaaree sòelaa màapaa?*
Wat raadt u ons aan?	· Cosa ci consiglia? *koozaa tsie koonsieljaa?*
We blijven hier een paar uur	· Ci fermeremo qui per qualche ora *tsjiefermeereemoo kwie peerkwaalkee ooraa*
— een dag	· Ci fermeremo qui per un giorno *tjsie feermeereemoo kwie peer oendjzoornoo*

— een week	· Ci fermeremo qui per una settimana
	*tsjie feermeer**ee**moo kwie peer **oe**naa*
	*seetiem**aa**naa*
We zijn geïnteresseerd in ...	· Siamo interessati in ...
	*siemamoo ienteeress**aa**tie ien ...*
Kunnen we een stads-wandeling maken?	· E' possibile seguire un itinerario turistico per la città?
	*eposs**ie**bielee see**ĝwieree*
	*oenietieneer**aa**rieoo toeri**e**stiekoo peer*
	*laatsjiet**aa**?*
Hoelang duurt die?	· Quanto dura?
	*kw**aa**nto d**oe**raa?*
Waar is het startpunt/eindpunt?	· Dove comincia/finisce?
	*d**oo**vee koomi**e**ntsjaa/fieniesjee?*
Zijn er hier rondvaart-boten?	· E' possibile fare un giro in battello?
	*eposs**ie**bielee f**aa**ree oendzji**e**roo*
	ienbaatèlloo?
Waar kunnen we aan boord gaan?	· Dove possiamo imbarcarci?
	*d**oo**vee possie**aa**moo iembaark**aa**rtsjie?*
Zijn er rondritten per bus?	· E' possibile fare un giro della città in pullman?
	*eposs**ie**bielee f**aa**ree oendzji**e**roo d**ee**laa*
	*tsjiet**aa** ienp**oe**lmaan?*
Waar moeten we op-stappen?	· Dove possiamo salire?
	*d**oo**vee possie**aa**moo saali**e**ree?*
Is er een gids die Engels spreekt?	· C'è una guida che parli inglese?
	*tsje **oe**naa **ĝwie**daa kee**paa**rlie ien**ĝĝ**l**ee**zee?*
Welke uitstapjes kan men in de omgeving maken?	· Quali gite si possono fare nei dintorni?
	*kw**aa**lie dzji**e**tee siep**o**ssoonoo f**aa**ree*
	*neejdient**oo**rnie?*
Zijn er excursies?	· Ci sono delle escursioni?
	*tsjies**oo**noo d**ee**lee eskoersie**oo**nie?*
Waar gaan die naar toe?	· Dove vanno?
	*d**oo**vee v**àà**noo?*
We willen naar ...	· Vogliamo andare a ...
	*volj**aa**moo aand**aa**ree aa ...*
Hoelang duurt die tocht?	· Quanto tempo dura quell'escursione?
	*kw**aa**ntoo t**e**mpoo d**oe**raa*
	*kw**ee**leskoersie**oo**onee?*

Hoelang blijven we in ...?	• Per quanto tempo ci fermeremo a ...?
	peerkwaantoo tempoo tsjiefeermeereemoo aa ...?
Zijn er rondleidingen?	• Ci sono delle visite guidate?
	tjiesoonoo deelee viezietee ğwiedaatee?
Hoeveel tijd hebben we daar voor onszelf?	• Quanto tempo libero avremo là?
	kwaantoo tempoo liebeeroo aavreemoo laa?
We willen een trektocht maken	• Vogliamo fare un giro a piedi
	voljaamoo faaree oendzjieroo aapjeedie
Kunnen we een gids huren?	• E' possibile prendere in servizio una guida?
	eppossiebielee prendeeree ienservietsieoo oenaa ğwiedaa?
Kan ik berghutten reserveren?	• E' possibile prenotare dei rifugi alpini?
	eppossiebielee preenootaaree deejriefoedzjie aalpienii?
Hoe laat gaat ... open/ dicht?	• A che ora apre/chiude ...?
	aa keeooraa aapree/kjoedee ...?
Op welke dagen is ... geopend/gesloten?	• Quali sono i giorni che ... è aperto/a/ chiuso/a?
	kwaalie soonoo iedjzoornie kee ... e aapertoo/aa/kjoezoo/aa?
Hoeveel is de toegangsprijs?	• Quanto costa un biglietto d'ingresso?
	kwaantoo kostaa oenbieljèetoo dienğressoo?
Is er reductie voor groepen?	• C'è uno sconto per gruppi?
	tsje oenoo skoontoo peerğròepie?
— kinderen	• C'è uno sconto per bambini?
	tsje oenoo skoontoo peerbaambienie?
— 65+	• C'è uno sconto per anziani?
	tsje oenoo skoontoo peer aantsieaanie?
Mag ik hier fotograferen (met flits)/filmen	• Qui è permesso fotografare (con il flash)/ filmare?
	kwie eppeermèesoo footooğraafaaree (koon ielflesj)/fielmaaree?
Verkoopt u ansichtkaarten met ... erop?	• Sono in vendita delle cartoline con ...?
	soonoo ienvendietaa deelee kaartoolienee koon ...?

Heeft u een — in het Nederlands?	· Ha un/una – in olandese?	115
	aa oen/oenaa – ienoolaandeezee?	
— catalogus	· Ha un catalogo in olandese?	
	aa oenkaataaloogoo ienoolaandeezee?	
— programma	· Ha un programma in olandese?	
	aa oenprooĝràamaa ienoolaandeezee?	
— brochure	· Ha un opuscolo in olandese?	
	aa oenoopoeskooloo ienoolaandeezee?	

11.2 Uitgaan

In Italiaanse theaters wordt u meestal naar uw stoel begeleid door een ouvreuse, van wie u ook een programma krijgt. In de bioscopen zijn doorlopende voorstellingen gebruikelijk. Een lampje (1, 2 of 3) geeft aan welke voorstelling bezig is. Er zijn ook vele openluchtbioscopen.
De meeste films zijn *doppiata* (nagesynchroniseerd). Als er ondertiteld is, wordt dat speciaal aangegeven als *versione originale*.

Heeft u de uitgaanskrant van deze week/deze maand?	· Ha il calendario delle manifestazioni e degli spettacoli di questa settimana/di questo mese?
	aa iel kaalendaarieoo deelee maaniefestaatsieoonie ee deeljie spettaakoolie die kweestaa seetiemaanaa/ die kweestoo meezee?
Wat is er vanavond te doen?	· Dove possiamo andare stasera?
	doovee possieaamoo aandaaree staaseeraa?
We willen naar ...	· Vorremmo andare a ...
	vorrèmmoo aandaaree aa ...
Welke films draaien er?	· Quali film danno al cinema?
	kwaalie fielm dàanoo aaltsjieneemaa?
Wat voor een film is dat?	· Che tipo di film è?
	keetiepoo diefielm e?
alle leeftijden	· per tutti
	peer tòetie
boven de 12/16 jaar	· vietato ai minori di 12/16 anni
	vjeetaatoo aajmienoorie die doodietsjie/ seedietsjie àanie
originele versie	· versione originale
	versieoonee ooriedzjienaalee

met ondertitels	• sottotitolato *sootootietoolaatoo*
nagesynchroniseerd	• doppiato *doopjaatoo*
Is het een doorlopende voorstelling?	• E' uno spettacolo continuo? *e oenoo spettaakooloo koontienwoo?*
Wat is er te doen in —?	• Che danno a –? *kee dàanoo aa –*
— het theater	• Che danno al teatro? *kee dàanoo aalteeaatroo?*
— het concertgebouw	• Quale concerto danno al teatro? *kwaalee koontsjertoo dàanoo aalteeaatroo?*
— de opera	• Che danno all'opera? *keedàanoo aaloopeeraa?*
Waar is hier een goede disco?	• Dove c'è una bella discoteca qui vicino? *doovee tsje oenaa bèllaa dieskooteekaa kwievietsjienoo?*
Is lidmaatschap vereist?	• E' richiesta la tessera? *erriekjèstaa laatèsseeraa?*
Waar is hier een goede nachtclub?	• Dove c'è un bel night qui vicino? *doovee tsje oen belnaajt kwievietsjienoo?*
Is avondkleding ver- plicht?	• E' obbligatorio l'abito da sera? *e oobliegaatoorieoo laabietoo daaseeraa?*
— gewenst	• E' opportuno l'abito da sera? *e ooportoenoo laabietoo daaseeraa?*
Hoe laat begint de show?	• A che ora comincia lo show? *aakeeooraa koomientsjaa losjoow?*
Wanneer is de eerst- volgende voetbalwed- strijd?	• Quando è la prossima partita di calcio? *kwaandoo e laapròssiemaa paartietaa diekaaltsjoo?*
Wie spelen er tegen elkaar?	• Chi gioca? *kiedzjookaa?*
Ik wil voor vanavond een escort-guide. Kunt u dat voor me regelen?	• Stasera vorrei un'escort-guide. Me la potrebbe trovare/cercare? *staaseeraa vorrej oeneskortĝaajd. meelappootrèbbee trovaaaree/tsjeerkaaree?*

Kunt u voor ons reserveren?	· Ci potrebbe fare una prenotazione, per favore? *tsjie pootrèbbee faaree oenaa preenootaatsieoonee, peerfaavooree?*
We willen ... plaatsen/een tafeltje — **— in de zaal**	· Vogliamo ... posti/un tavolino – *voljaamoo ... poostie/oentaavoolienoo* · Vogliamo ... poltrone in platea/un tavolino in sala *voljaamoo ... poltroonee ienplaateeaa/ oentaavoolienoo iensaalaa*
— op het balkon	· Vogliamo ... posti/un tavolino in galleria *voljaamoo ... poostie/oentaavoolienoo iengaaleerieaa*
— in de loge	· Vogliamo un palco ... posti/un tavolino in un palco *voljaamoo oenpaalkoo ... poostie/ oentaavoolienoo ien oen paalkoo*
— vooraan	· Vogliamo ... posti/un tavolino nelle prime file *voljaamoo ... poostie/oentaavoolienoo neelee priemee fielee*
— in het midden	· Vogliamo ... posti/un tavolino al centro *voljaamoo ... poostie/oentaavoolienoo aaltsjentroo*
— achteraan	· Vogliamo ... posti/un tavolino in fondo *voljaamoo ... poostie/oentaavoolienoo ienfoondoo*
Kan ik ... plaatsen voor de voorstelling van ... uur reserveren?	· E' possibile prenotare ... posti per lo spettacolo delle ore ...? *eppossiebielee preenootaaree poostie peer lospettaakooloo dèelee ooree ...?*
Zijn er nog kaartjes voor vanavond?	· Ci sono ancora biglietti per stasera? *tsjiesoonoo aangkooraa bieljèetie peer staaseeraa?*
Hoeveel kost een kaartje?	· Quanto costa un biglietto? *kwaantoo kostaa oenbieljèetoo?*

Wanneer kan ik de kaartjes ophalen?

Ik heb gereserveerd

Mijn naam is ...

- Quando posso ritirare i biglietti?
  kwaandoo pòssoo rietieraaree iebieljèetie?
- Ho prenotato
  oopreenootaatoo
- Il mio nome è ...
  ielmieoo noomee e ...

Per quale spettacolo vuole fare una prenotazione?	Voor welke voorstelling wilt u reserveren?
Che tipo di posto?	Waar wilt u zitten?
Tutto è esaurito	Alles is uitverkocht
Sono rimasti solo i posti in piedi	Er zijn alleen nog staanplaatsen
Sono rimasti solo i posti in galleria	Er zijn alleen nog plaatsen op het balkon
Sono rimasti solo i posti in loggione	Er zijn alleen nog plaatsen op het schellinkje
Sono rimaste solo le poltrone in platea	Er zijn alleen nog plaatsen in de zaal
Sono rimasti solo i posti nelle prime file	Er zijn alleen nog plaatsen vooraan
Sono rimasti solo i posti in fondo	Er zijn alleen nog plaatsen achteraan
Quanti posti desidera?	Hoeveel plaatsen wilt u?
Deve ritirare i biglietti prima delle ...	U moet de kaartjes vóór ... uur ophalen
Biglietti prego	Mag ik uw plaatsbewijzen zien?
Ecco il suo posto	Dit is uw plaats

12.1 Sportieve vragen

Waar kunnen we hier …?	· Dove possiamo … qui?
	doovee possieaamoo … kwie?
Kan ik hier een … huren?	· E' possibile prendere a noleggio un/una …?
	epposiebielee prendeeree aanoolèedzjoo oen/oenaa …?
Kan ik les nemen in …?	· E' possibile prendere lezioni in …?
	eppossiebielee prendeeree leetsieoonie ien …?
Hoeveel kost dat per uur/dag/keer?	· Quanto costa all'ora/al giorno/alla volta?
	kwaantoo kostaa aalooraa/aaldzjoornoo/àalaa voltaa?
Heb je daarvoor een vergunning nodig?	· Bisogna averci una licenza?
	biezoonjaa aaveertsjie oenaa lietsjentsaa?
Waar kan ik die vergunning krijgen?	· Dove posso ottenere questa licenza?
	doovee pòssoo otteeneeree kweestaa lietsjentsaa?

12.2 Aan het water

Is het nog ver (lopen) naar zee?	· Per andare al mare, è ancora lontano (a piedi)?
	peer aandaaree aalmaaree, e aangkooraa loontaanoo (aapjeedie)?
Is er hier ook een — in de buurt?	· C'è un/una – qui vicino?
	tsje oen/oenaa – kwie vietsjienoo?
— zwembad	· C'è una piscina qui vicino?
	tsje oenaa piesjienaa kwie vietsjienoo?
— zandstrand	· C'è una spiaggia di sabbia qui vicino?
	tsje oenaa spjàadzjaa diesàabjaa kwie vietsjienoo?
— naaktstrand	· C'è una spiaggia per nudisti qui vicino?
	tsje oenaa spjàadzjaa peer noediestie kwie vietsjienoo?

— aanlegplaats voor boten	• C'è un molo d'attracco qui vicino? *tsje oenmooloo daatràakoo kwie vietsjienoo?*
Zijn er hier ook rotsen?	• Ci sono degli scogli qui? *tsjie soonoo deeljie skoljie kwie?*
Wanneer is het vloed/eb?	• Quando è alta marea/bassa marea? *kwaandoo e aaltaa maareeaa/bàasaa maareeaa?*
Wat is de temperatuur van het water?	• Qual è la temperatura dell'acqua? *kwaale laa tempeeraatoeraa dellàakwaa?*
Is het hier (erg) diep?	• E' (molto) profondo qui? *emmooltoo proofoondoo kwie?*
Kan je hier staan?	• Si tocca qui? *sietòokaa kwie?*
Is het hier veilig zwemmen (voor kinderen)?	• E' sicuro (per i bambini) fare il bagno qui? *essiekoeroo (per iebaambienie) faaree ielbaanjoo kwie?*
Zijn er stromingen?	• Ci sono correnti? *tsjie soonoo koorentie?*
Heeft deze rivier stroomversnellingen/watervallen?	• Questo fiume ha delle rapide/delle cascate? *kweestoo fjoemee aa dèelee raapiedee/dèelee kaaskaatee?*
Wat betekent die vlag/boei daar?	• Cosa significa quella bandiera/quella boa? *koozaa sienjiefiekaa kwèelaa baandjeeraa/kwèelaa booaa?*
Is er hier een badmeester die een oogje in het zeil houdt?	• C'è un bagnino che sorveglia? *tsje oenbaanjienoo keesoorveeljaa?*
Mogen hier honden komen?	• Sono permessi i cani? *soonoo peermèesie iekaanie?*
Mag je hier kamperen op het strand?	• E' permesso fare il campeggio sulla spiaggia? *eppeermèesoo faaree ielkaampèedzjoo sòelaa spjàadzjaa?*
Mag je hier een vuurtje stoken?	• E' permesso fare un fuoco? *eppeermèesoo faaree oenfwookoo?*

Acqua pescosa	**Vietato fare il bagno**	
Viswater	Verboden te zwemmen	
Pericolo	**Vietato fare l'acquaplano**	
Gevaar	Verboden te surfen	
Solo con licenza	**Vietato pescare**	
Alleen met vergunning	Verboden te vissen	

12.3 In de sneeuw

Kan ik hier skiles nemen?	· E' possibile prendere delle lezioni di sci?
	eppossiebielee prendeeree dèllee leetsieoonie diesjie?
voor beginners/(half-) gevorderden	· per principianti/(semi)esperti
	per prientsjiepjaantie/(seemie-)espertie
In welke taal wordt er les gegeven?	· In che lingua fanno lezione?
	ienkee lienggwaa fàanoo leetsieoonee?
Ik wil graag een ski(lift) pas	· Vorrei una tessera di sci
	vorrej oenaa tèsseeraa diesjie
Waar zijn de skipistes voor beginners?	· Dove sono le piste per i principianti?
	doovee soonoo leepiestee per ieprientsiepjaantie?
Zijn er langlaufloipes in de buurt?	· Ci sono le piste di fondo qui vicino?
	tsjiesoonoo leepiestee diefoondoo kwie vietsjienoo?
Zijn de langlaufloipes aangegeven?	· Sono indicate le piste di fondo?
	soonoo iendiekaatee leepiestee diefoondoo?
Zijn de — open?	· Sono aperti i/le –?
	soonoo apertie ie/lee –?
— skiliften	· Sono apertie gli ski-lift?
	soonoo aapertie ljieskielieft?
— stoeltjesliften	· Sono aperte le seggiovie?
	soonoo aapertee lee sedzjoovieee?
— pistes	· Sono aperte le piste?
	soonoo aapertee leepiestee?
— loipes	· Sono aperte le piste di fondo?
	soonoo aapertee leepiestee diefoondoo?

13 Ziek

13.1 De dokter (laten) roepen

Bij het Nederlandse ziekenfonds is een vakantieformulier verkrijgbaar, model E 111, dat ook in Italië erkend wordt. Bij medische hulpverlening moet dit formulier bij de *unita' sanitaria locale* worden omgewisseld. Deze instelling is in alle gemeenten in Italië te vinden. Voor spoedgevallen kan men terecht bij de *pronto soccorso* (de EHBO-afdeling van gemeentelijke ziekenhuizen). 's Nachts en tijdens de weekenden is er altijd een apotheek (*farmacia*) open en is er altijd een dokter te bereiken.

Wilt u a.u.b. snel een dokter bellen/halen?	• Mi chiami presto il medico, per favore *miekjaamie prestoo ielmeediekoo, peer faavooree*
Wanneer heeft de dokter spreekuur?	• Quando riceve il medico? *kwaandoo rietsjeevee ielmeediekoo?*
Wanneer kan de dokter komen?	• Quando potrà venire il medico? *kwaandoo pootraa veenieree ielmeediekoo?*
Kunt u voor mij een afspraak bij de dokter maken?	• Mi potrebbe fissare un appuntamento con il medico? *miepootrèbbee fiesaaree oenaapoentaamentoo koon ielmeediekoo?*
Ik heb een afspraak met de dokter om ... uur	• Ho un appuntamento con il medico alle ore ... *oo oenaapoentaamentoo koon ielmeediekoo àalee ooree ...*
Welke dokter/apotheek heeft nachtdienst/weekenddienst?	• Quale medico/farmacia è in servizio notturno/in servizio di fine settimana? *kwaalee meediekoo/faarmaatsjieaa e ienservietsieoo nottoernoo/ienservietsieoo diefienee seetiemaanaa?*

13.2 Klachten van de patiënt

Ik voel me niet goed	• Mi sento male *miesentoo maalee*

Ik ben duizelig	· Ho il capogiro
	oo iel kaapoodzjieroo
— ziek	· Sono ammalato/a
	soonoo aamaalaatoo/aa
— misselijk	· Ho la nausea
	oo laanauseeaa
— verkouden	· Sono raffreddato/a
	soonoo raafreedaatoo/aa

Ik heb hier pijn	· Mi fa male qui
	miefaamaalee kwie
Ik heb overgegeven	· Ho vomitato
	oo voomietaatoo
Ik heb last van …	· Soffro di …
	sòffroo die …
Ik heb … graden koorts	· Ho una febbre di … gradi
	oo oenaa fèbbree die … ĝraadie

Ik ben gestoken door een wesp	· Sono stato/a punto/a da una vespa
	soonoo staatoo/aa poentoo/aa daa oenaa vespaa
— insekt	· Sono stat/a punto/a da un insetto
	soonoo staatoo/aa poentoo/aa daa oeniensèttoo

Ik ben gebeten door een hond	· Sono stato/a morso/a da un cane
	soonoo staatoo/aa morsoo/aa daa oenkaanee
— kwal	· Sono stato/a punto/a da una medusa
	soonoo staatoo/aa poentoo/aa daa oenaa meedoezaa
— slang	· Sono stato/a morsicato/a da una serpe
	soonoo staatoo/aa morsiekaatoo daa oenaa serpee
— beest	· Sono stato/a morso/a da una bestia
	soonoo staatoo/aa morsoo/aa daa oenaa beestieaa

Ik heb me gesneden	· Mi sono tagliato/a
	miesoonoo taaljaatoo/aa
— gebrand	· Mi sono bruciato/a
	miesoonoo broetsjaatoo/aa

— geschaafd	• Mi sono scalfito/a
	mies<u>oo</u>noo skaalf<u>ie</u>too/aa
Ik ben gevallen	• Sono caduto/a
	s<u>oo</u>noo kaad<u>oe</u>too/aa
Ik heb mijn enkel verzwikt	• Mi sono storto/a la caviglia
	mies<u>oo</u>noo st<u>o</u>rtoo/aa laakaav<u>ie</u>ljaa
Ik kom voor de morning-after-pil	• Vorrei la pillola del giorno dopo
	vorrej laap<u>ie</u>loolaa deldzj<u>oo</u>rnoo d<u>oo</u>poo

13.3 Het consult

Quali disturbi ha?	Wat zijn de klachten?
Da quanto tempo ha questi disturbi?	Hoelang heeft u deze klachten al?
Ha sofferto già prima di questi disturbi?	Heeft u deze klachten al eerder gehad?
Ha la febbre? Quanti gradi?	Hoeveel graden koorts heeft u?
Si spogli per favore	Kleedt u zich uit a.u.b.
Si scopra il torace per favore	Kunt u uw bovenlijf ontbloten?
Può spogliarsi da questa parte	U kunt zich daar uitkleden
Si scopra il braccio sinistro/destro per favore	Kunt u uw linkerarm/rechterarm ontbloten?
Si sdraii qui per favore	Gaat u hier maar liggen
Fa male?	Doet dit pijn?
Respiri profondamente	Adem diep in en uit
Apra la bocca	Doe uw mond open

Voorgeschiedenis van de patiënt

Ik ben suikerpatiënt	• Sono diabetico/a
	s<u>oo</u>noo dieaab<u>ee</u>tiekoo/aa
— hartpatiënt	• Soffro di vizio al cuore
	s<u>ò</u>ffroo diev<u>ie</u>tsieoo aalkw<u>oo</u>ree
— astmapatiënt	• Soffro di asma
	s<u>ò</u>ffroo die <u>aa</u>smaa
Ik ben allergisch voor ...	• Sono allergico/a a ...
	s<u>oo</u>noo aal<u>e</u>rdzjiekoo aa ...

Ik ben ... maanden zwanger	· Sono incinta di ... mesi *soonoo ientsjientaa die ... meezie*
Ik ben op dieet	· Seguo una dieta *seegwoo oenaa die-eetaa*
Ik gebruik medicijnen/de pil	· Prendo dei medicamenti/la pillola contraccettiva *prendoo deej meediekaamentie/laapìeloolaa kontraatsjeetievaa*
Ik heb al eerder een hartaanval gehad	· Ho avuto già prima un attacco cardiaco *oo aavoetoo dzjaapriemaa oenaatàakoo kaardieaakoo*
Ik ben geopereerd aan ...	· Mi hanno fatto un'operazione a ... *mie àanoo fàatoo oenoopeeraatsieoonee aa ...*
Ik ben pas ziek geweest	· Sono stato/a ammalato/a di recente *soonoo staatoo/aa aamaalaatoo/aa diereetsjentee*
Ik heb een maagzweer	· Soffro di un'ulcera gastrica *sòffroo die oenoeltsjeeraa ĝaastriekaa*
Ik ben ongesteld	· Ho le menstruazioni *oo lee menstroeaatsieoonie*

E' allergico/a a qualcosa?	Bent u ergens allergisch voor?
Prende dei medicamenti?	Gebruikt u medicijnen?
Segue una dieta?	Volgt u een dieet?
E' incinta?	Bent u zwanger?
E' stato/a vaccinato/a contro il tetano?	Bent u ingeënt tegen tetanus?

De diagnose

Non è niente di grave	Het is niets ernstigs
Ha una frattura in ...	U heeft uw ... gebroken
Ha una distorsione in ...	U heeft uw ... gekneusd
Ha uno strappo di ...	U heeft uw ... gescheurd
Ha un'infezione	U heeft een ontsteking
Ha un'appendicite	U heeft een blindedarmontsteking

Italiano	Nederlands
Ha una bronchite	U heeft een bronchitis
Ha una malattia venerea	U heeft een geslachtsziekte
Ha l'influenza	U heeft griep
Ha avuto un attacco cardiaco	U heeft een hartaanval gehad
Ha un'infezione (virale, batterica)	U heeft een infectie (virus-, bacterie-)
Ha una polmonite	U heeft een longontsteking
Ha una gastrite/un'ulcera	U heeft een maagzweer
Ha uno strappo muscolare	U heeft een spier verrekt
Ha un'infezione vaginale	U heeft een vaginale infectie
Ha un'intossicazione alimentare	U heeft een voedselvergiftiging
Ha un'insolazione	U heeft een zonnesteek
E' allergico a ...	U bent allergisch voor ...
E' incinta	U bent zwanger
Vorrei fare analizzare il Suo sangue/la Sua orina/le Sue feci	Ik wil uw bloed/urine/ontlasting laten onderzoeken
La ferita deve essere suturata	Het moet gehecht worden
La indirizzo da uno specialista/all'ospedale	Ik stuur u door naar een specialist/het ziekenhuis
Bisogna far fare qualche foto	Er moeten foto's gemaakt worden
Deve ritornare per un attimo nella sala d'attesa	U moet weer even in de wachtkamer gaan zitten
Deve essere operato/a	U moet geopereerd worden

Is het besmettelijk?	• E' contagioso? *ekkontaadzjoozoo?*
Hoelang moet ik — blijven?	• Per quanto tempo devo rimanere –? *per kwaantoo tempoo deevoo riemaaneeree –?*
— in bed	• Per quanto tempo devo rimanere a letto? *per kwaantoo tempoo deevoo riemaaneeree aalèttoo?*
— in het ziekenhuis	• Per quanto tempo devo rimanere all'ospedale? *per kwaantoo tempoo deevoo riemaaneeree aalospeedaalee?*

Moet ik me aan een dieet houden?	· Devo seguire una dieta? *deevoo seeĝwieree oenaa die-eetaa?*
Mag ik reizen?	· Mi è permesso viaggiare? *mie eppeermèesoo vjaadzjaaree?*
Kan ik een nieuwe af-spraak maken?	· Potrei fissare un nuovo appuntamento? *pootrej fiesaaree oennwoovoo aapoentaamentoo?*
Wanneer moet ik terug-komen?	· Quando devo ritornare? *kwaandoo deevoo rietoornaaree?*
Ik kom morgen terug	· Ritorno domani *rietoornoo doomaanie*

| Deve ritornare domani/fra … giorni | U moet morgen/over … dagen terugkomen |

13.4 Recept en voorschriften

Hoe moet ik deze medicij-nen innemen?	· Come devo prendere questi medicamenti? *koomee deevoo prendeeree kweestie meediekaamentie?*
Hoeveel capsules/drup-pels/injecties/lepels/tabletten per keer?	· Quante capsule/gocce/punture/cucchiaiate/compresse alla volta? *kwaantee kaapsoelee/ĝootsjee/poentoeree/koekjaajaatee/komprèssee àalaa voltaa?*
Hoeveel keer per dag?	· Quante volte al giorno? *kwaantee voltee aaldzjoornoo?*
Ik heb mijn medicijnen vergeten. Thuis gebruik ik …	· Mi sono dimenticato/a i medicamenti. A casa prendo … *miesoonoo diementiekaatoo iemeediekaamentie. aakaazaa prendoo …*
Kunt u voor mij een recept uitschrijven?	· Mi potrebbe scrivere una ricetta? *miepootrèbbee skrieveeree oenaa rietsjèttaa?*

| Le prescrivo degli antibiotici/uno sciroppo/un tranquillante/degli analgesici | Ik schrijf u antibiotica/een drankje/een kalmeringsmiddel/pijnstillers voor |

ZIEK

Bisogna che si riposi	U moet rust houden
Non può uscire	U mag niet naar buiten
Non può alzarsi	U moet in bed blijven

capsule	**pomata**
capsules	zalf
compresse	**prendere**
tabletten	innemen
condurre a termine la cura	**prima di ogni pasto**
de kuur afmaken	voor elke maaltijd
cucchiaio/cucchiaino	**punture**
lepels (eet-/thee-)	injecties
durante … giorni	**questi medicamenti**
gedurende … dagen	**influiscono sull'abilità di guida**
far sciogliere in acqua	deze medicijnen beïnvloeden
oplossen in water	de rijvaardigheid
gocce	**solo per uso esterno**
druppels	alleen voor uitwendig gebruik
inghiottire interamente	**spalmare**
in zijn geheel doorslikken	insmeren
ogni … ore	**… volte le ventiquatrro ore**
om de … uur	… maal per etmaal

13.5 De tandarts

Weet u een goede tand-arts?	• Conosce un buon dentista?
	koonoosjee oenbwon dentiestaa?
Kunt u voor mij een afspraak maken bij de tandarts? Er is haast bij	• Mi potrebbe prendere un appuntamento urgente dal dentista?
	miepootrèbbe prendeeree oen aapoentaamentoo daaldentiestaa?
Kan ik a.u.b. vandaag nog komen?	• Posso venire ancora oggi, per favore?
	pòssoo veenieree aangkooraa òdzjie, peer faavooree?
Ik heb (vreselijke) kies-pijn/tandpijn	• Ho (un) mal di dente (terribile)
	oo (oen) maaldiedentee (terriebielee)

Kunt u een pijnstiller voorschrijven/geven?	· Mi potrebbe prescrivere/dare un analgesico? *miepootrèbbee preeskrieveeree/daaree oenaanaaldzjeeziekoo?*
Er is een stuk van mijn tand/kies afgebroken	· Ho un dente spezzato *oo oendentee speetzaatoo*
Mijn vulling is eruit gevallen	· Ho perso un'otturazione *oopersoo oen ootoeraatsieoonee*
Mijn kroon is afgebroken	· Si è rotta la capsula *sie erròotaa laakaapsoelaa*
Ik wil wel/niet plaatselijk verdoofd worden	· Vorrei essere curato/a con/senza anestesia locale *vorrej èsseeree koeraatoo/aa koon/sentsaa aanesteesieaa lookaalee*
Kunt u me nu op provisorische wijze helpen?	· Mi potrebbe curare adesso in modo provvisorio? *miepootrèbbee koeraaree aadèssoo ienmoodoo prooviezoorieoo?*
Ik wil niet dat deze kies getrokken wordt	· Non voglio un'estrazione *non voljoo oeneestraatsieoonee*
Mijn kunstgebit is gebroken. Kunt u het repareren?	· Ho rotto la dentiera. La può aggiustare? *ooròotoo laadentie-eeraa. laapwo aadzjoestaaree?*

Qual è il dente che Le fa male?	Welke tand/kies doet pijn?
Ha un ascesso	U heeft een abces
Le devo pulire i canali	Ik moet een zenuwbehandeling doen
Faccio un'anestesia locale	Ik ga u plaatselijk verdoven
Devo estrarre/fare un'otturazione su/limare questo ...	Ik moet deze ... trekken/vullen/afslijpen
Devo trapanare	Ik moet boren
Apra la bocca	Mond open
Chiuda la bocca	Mond dicht
Si sciacqui la bocca	Spoelen
Sente ancora dolore?	Voelt u nog pijn?

14.1 Om hulp vragen

Help!	· Aiuto!
	aajoetoo!
Brand!	· Al fuoco!
	aalfwookoo!
Politie!	· Polizia!
	poolietsieaa!
Snel!	· Presto!
	prestoo!
Gevaar!	· Pericolo!
	peeriekooloo!
Pas op!	· Attenzione!
	aatentsieoonee!
Stop!	· Alt!/Stop!
	aalt!/stop!
Voorzichtig!	· Attenzione!/Piano!
	aatentsieoonee!/pjaanoo!
Niet doen!	· Giù le mani!
	dzjoelee maanie!
Laat los!	· Lascia!
	laasjaa!
Houd de dief!	· Al ladro!
	aalaadroo!
Wilt u me helpen?	· Mi potrebbe aiutare?
	miepootrèbbee aajoetaaree?
Waar is het politiebureau/ de nooduitgang/de brandtrap?	· Dov'è la questura/l'uscita di emergenza/ la scala di sicurezza?
	doove laakweestoeraa/loesjietaa die eemerdzjentsaa/laaskaalaa die siekoerètsaa?
Waar is een brandblus- apparaat?	· Dov'è un estintore?
	doove oenestientooree?
Waarschuw de brand- weer!	· Chiami i pompiere!
	kjaamie iepoompjeerie!
Bel de politie	· Chiami la polizia!
	kjaamie laapoolietsieaa!

Waarschuw een zieken-auto	· Chiami un'ambulanza!
	kjaamie oenaamboelaantsaa!
Waar is een telefoon?	· Dov'è un telefono?
	doove oenteeleefoonoo?
Mag ik uw telefoon gebruiken?	· Potrei servirmi del Suo telefono?
	pootrej serviermie deelsoeoo teeleefoonoo?
Wat is het alarmnummer?	· Qual è il numero d'allarme?
	kwaale ielnoemeeroo daalaarmee?
Wat is het telefoonnummer van de politie?	· Qual è il numero della polizia?
	kwaale ielnoemeeroo dèelaa poolietsieaa?

14.2 Verlies

Ik ben mijn portemonnee/portefeuille verloren	· Ho perso il mio portamonete
	oopersoo ielmieoo portaamooneetee
Ik ben gisteren mijn … vergeten	· Ieri ho dimenticato qui il mio …/la mia …
	jeerie oodiementiekaatoo kwie ielmieoo …/laamieaa …
Ik heb hier mijn … laten liggen/staan	· Ho lasciato qui il mio …/la mia …
	oolaasjaatoo kwie ielmieoo …/laamieaa …
Heeft u mijn … gevonden?	· Ha trovato il mio …/la mia …?
	aatroovaatoo ielmieoo …/laamieaa …?
Hij stond/lag hier	· Stava qui
	staavaa kwie
Het is zeer kostbaar	· E' molto prezioso/a
	emmooltoo preetsieoozoo/aa
Waar is het bureau gevonden voorwerpen?	· Dov'è l'ufficio oggetti smarriti?
	doove loefietsjoo oodzjèttie zmaarietie?

14.3 Ongelukken

Er is een ongeluk gebeurd	· C'è stato un incidente
	tsjestaatoo oenientsjiedentee
Er is iemand in het water gevallen	· Qualcuno è caduto nell'acqua
	kwaalkoenoo ekkaadoetoo neelàakwaa
Er is brand	· C'è un incendio
	tsje oenientsjendieoo
Is er iemand gewond?	· Ci sono dei feriti?
	tsjiesoonoo deejfeerietie?

Er zijn (geen) gewonden	· (Non) ci sono dei feriti
	(non) tsjiesoonoo deejfeerietie
Er zit nog iemand in de auto/trein	· C'è ancora qualcuno intrappolato dentro la macchina/il treno
	tsje aangkooraa kwaalkoenoo ientraapoolaatoo dentroo laamàakienaa/ ieltreenoo
Het valt wel mee. Maakt u zich geen zorgen	· Non è grave. Non si preoccupi
	nonne ĝraavee. nonsie preeòkkoepie
Wilt u geen veranderingen aanbrengen	· Non apporti dei cambiamenti
	non aaportie deej kaambjaamentie
Ik wil eerst met de politie praten	· Vorrei parlare prima alla polizia
	vorrej paarlaaree priemaa àalaa poolietsieaa
Ik wil eerst een foto nemen	· Vorrei fare prima una foto
	vorrej faaree priemaa oenaa footoo
Hier heeft u mijn naam en adres	· Ecco il mio nome e il mio indirizzo
	èkkoo ielmieoo noomee ee ielmieoo iendierìetsoo
Mag ik uw naam en adres weten?	· Potrei sapere il Suo nome e il Suo indirizzo?
	pootrej saapeeree ielsoeoo noomee ee ilsoeoo iendierìetsoo?
Mag ik uw identiteitsbewijs/verzekeringspapieren zien?	· Potrei vedere la Sua carta d'identità/i documenti dell'assicurazione?
	pootrej veedeeree laasoeaa kaartaa diedentietaa/iedookoementie deel aasiekoeraatsieoonee?
Wilt u getuige zijn?	· Accetta di testimoniare?
	aatsjèttaa die testiemoonieaaree?
Ik moet de gegevens weten voor de verzekering	· Ho bisogno di questi dati per via dell'assicurazione
	oobiezoonjoo diekweestie daatie peervieaa deel aasiekoeraatsieoone
Bent u verzekerd?	· E' assicurato/a?
	e aasiekoeraatoo/aa?
WA of all risk?	· Responsabilità civile o assicurazione completa?
	respoonsaabielietaa tsjievielee oo aasiekoeraatsieoonee koompleetaa?
Wilt u hier uw handtekening zetten?	· Firmi qui, per favore
	fiermie kwie, peer faavooree

Ik ben bestolen	· Sono stato/a derubato/a *soonoo staatoo/aa deeroebaatoo/aa*
Mijn ... is gestolen	· Hanno rubato il mio .../la mia ... *àanoo roebaatoo ielmieoo .../laamieaa ...*
Mijn auto is openge- broken	· Mi hanno forzato la macchina *mie àanoo fortsaatoo laamàakienaa*

Ik ben mijn kind/oma kwijt	· Ho perso mio figlio/mia figlia/mia nonna *oopersoo mieoo fieljoo/mieaa fieljaa/mieaa nònnaa*
Wilt u mij helpen zoeken?	· Mi aiuti a cercare? *mie aajoetie aatsjeerkaaree?*
Heeft u een klein kind gezien?	· Ha visto un bambino/una bambina? *aaviestoo oenbaambienoo/oenaa baambienaa?*
Hij/zij is ... jaar	· Ha ... anni *aa ... àanie*
Hij/zij heeft kort/lang/ blond/rood/bruin/zwart/ grijs/krullend/steil/ kroezend haar	· Ha i capelli corti/lunghi/biondi/rossi/ bruni/scuri/grigi/ricci/lisci/crespi *aa iekaapèelie koortie/loenggie/bjondie/ ròssie/broenie/skoerie/griedzjie/rìetsjie/ liesjie/kreespie*
met een paardestaart	· con i capelli in coda di cavallo *kon iekaapèelie ienkoodaa diekaavàaloo*
met vlechten	· con le trecce *kon leetrèetsjee*
met een knotje	· con una crocchia *kon oenaa kròkjaa*
Hij/zij heeft blauwe/ bruine/groene ogen	· Ha gli occhi azzurri/bruni/verdi *aa ljieòkkie aadzòerie/broenie/verdie*
Hij draagt een zwem- broekje/bergschoenen	· Porta uno slip da bagno/gli scarponi da montagna *portaa oenoo zliep daabaanjoo/ljie skaarpoonie daamoontaanjaa*
met/zonder bril/tas	· con/senza occhiali/borsa *koon/sentsaa ookjaalie/boorsaa*

groot/klein	• grande/piccolo/a *ğraandee/pìekooloo/aa*
Dit is een foto van hem/ haar	• Ecco una foto sua *èkkoo oenaa footoo soeaa*
Hij/zij is zeker verdwaald	• Deve essersi perso/a *deevee èssersie persoo/aa*

14.6 De politie

Een aanhouding

Documenti prego	Uw autopapieren a.u.b.
Ha superato il limite di velocità	U reed te hard
E' vietato parcheggiare qui	U staat fout geparkeerd
Non ha messo delle monete nel parchimetro	U heeft de parkeermeter niet gevuld
I fari della sua macchina non funzionano	Uw lichten doen het niet
Le do una multa di ...	U krijgt een boete van ...
Paga direttamente?	Wilt u direct betalen?
Deve pagare subito	U moet direct betalen

Ik spreek geen Italiaans	• Non parlo l'italiano *non paarloo lietaalieaanoo*
Ik heb dat bord niet gezien	• Non ho visto quel cartello *non ooviestoo kweelkaartèlloo*
Ik begrijp niet wat daar staat	• Non capisco cosa c'è scritto *non kaapieskoo koozaa tsjeskrìetoo*
Ik reed maar ... km per uur	• Andavo soltanto a ... chilometri all'ora *aandaavoo sooltaantoo aa ... kieloomeetrie aalooraa*
Ik zal mijn auto laten nakijken	• Farò controllare la macchina *faarò koontroolaaree laamàakienaa*

Dov'è successo?	Waar is het gebeurd?
Cosa ha perso?	Wat bent u kwijt?
Cosa hanno rubato?	Wat is er gestolen?
Potrei avere la Sua carta d'identità?	Mag ik uw identiteitsbewijs?
A che ora è successo?	Hoe laat is het gebeurd?
Ci sono dei testimoni?	Zijn er getuigen?
Firmi qui, per favore	Hier tekenen a.u.b.
Desidera un interprete?	Wilt u een tolk?

Ik kom aangifte doen van een botsing/een vermissing/een verkrachting
· Vorrei denunciare una collisione/uno smarrimento/uno stupro
vooreij deenoentsjaaree oenaa kooliesieooonee/oenoo zmaariementoo/oenoo stoeproo

Wilt u een proces-verbaal opmaken?
· Mi stenda un processo verbale, per favore
miestendaa oenprootsjèssoo veerbaalee, peer faavooree

Mag ik een afschrift voor de verzekering?
· Mi dia una copia per l'assicurazione
miedieaa oenaa koopjaa per laasiekoeraatsieoonee

Ik ben alles kwijt
· Ho perso tutto
oopersoo tòetoo

Mijn geld is op, ik ben radeloos
· Sono finiti i miei soldi, sono disperato/a
soonoo fienietie iemjeej soldie, soonoo diespeeraatoo

Kunt u mij wat lenen?
· Mi potrebbe prestare qualcosa?
miepootrèbbee prestaaree kwaalkoozaa?

Ik wil graag een tolk
· Vorrei un interprete
vorrej oen ienterpreetee

Ik ben onschuldig
· Sono innocente
soonoo ienootsjentee

Ik weet nergens van
· Non ne so niente
nonnee soo njentee

Ik wil spreken met ie-mand van de Neder-landse/Belgische ambas-sade

• Vorrei parlare a qualcuno dell'ambasciata olandese/belga
vorrej paarlaaree aa kwaalkoenoo deel aambaasjaataa oolaandeezee/belĝaa

Ik wil een advocaat die ... spreekt

• Vorrei un avvocato che parli ...
vorrej oen aavookaatoo keepaarlie ...

Deze woordenlijst is bedoeld als aanvulling op de hoofdstukjes hiervoor. De nummers achter het woord verwijzen naar de paragraaf met de belangrijkste zinnen waarin u deze woorden kunt gebruiken. In een aantal gevallen kunt u woorden die in deze lijst ontbreken elders in het boekje vinden, namelijk bij de illustraties van de auto, de fiets en de tent. Veel etenswaren kunt u vinden in de Italiaans – Nederlandse lijst in 4.7.

Een # achter de vertaling wil zeggen dat het niet zo veel zin heeft om naar het betreffende artikel te vragen. Het is onbekend of niet verkrijgbaar.

Als een zelfstandig naamwoord op een -o eindigt, is het mannelijk en heeft het als lidwoord *il*; eindigt het op een -a, dan is het vrouwelijk en gaat het lidwoord *la* vooraf; wanneer een zelfstandig naamwoord met een klinker begint, is het lidwoord *l'*. In de hievan afwijkende gevallen, zoals bij woorden die op een -e eindigen, wordt het lidwoord vermeld. Wanneer dit *l'* is, wordt het geslacht tussen haakjes vermeld (m/v).

A

aanbevelen *4.2*	consigliare	*konsieljaaree*
aanbieden *3.6*	offrire	*offrieree*
aangebrand *4.4*	bruciato	*broetsjaatoo*
aangenaam *2.1*	piacere	*pjaatsjeeree*
aangetekend *9.1*	raccomandato	*raakoomaandaatoo*
aangeven (bij douane) *5.1*	dichiarare	*diekjaaraaree*
aankomen *6.1*	arrivare	*aarievaaree*
aanranding *14.6*	la violazione	*laa vieoolaatsieoonee*
aanrijding	lo scontro	*loskontroo*
aansteker	accendino	*aatsjendienoo*
aanwezig	presente	*preezentee*
aanwijzen	indicare	*iendiekaaree*
aardappel	patata	*paataataa*
aardbeien	le fragole	*leefraagoolee*
aarde (grond)	terra	*tèrraa*
aardewerk *10*	ceramica	*tsjeeraamiekaa*
aardig (vriendelijk)	gentile	*dzjentielee*
aartsbisschop	arcivescovo	*aartsjieveskoovoo*
abonneenummer *9.2*	numero dell'abbonato	*noemeeroo deelaaboonaatoo*
abrikoos	albicocca	*aalbiekòkkaa*
accu *5.6*	batteria	*baateerieaa*

achter *1.6*	dietro	*djeetroo*
achterin *6.3*	in fondo	*ienfoondoo*
achternaam *1.8*	il cognome	*ielkoonjoomee*
achteruitrijden *6.6*	fare marcia indietro	*faaree maartsjaa iendjeetroo*
adder *13.2*	vipera	*viepeeraa*
ader *13.2*	vena	*veenaa*
adres *1.8, 3.11, 6.7*	indirizzo	*iendierietsoo*
advies *4.2*	consiglio	*konsieljoo*
advocaat (jur.) *14.6*	avvocato	*aavookaatoo*
afdeling *10.1*	reparto	*reepaartoo*
afdruk *9.1, 14.3*	copia	*koopjaa*
afdrukken (foto) *10.4*	stampare	*staampaaree*
afgesloten (rijweg) *5.3*	chiuso al traffico	*kjoezoo aaltràafiekoo*
afrekenen *4.3, 7.5, 8.2*	pagare	*paagaaree*
afscheid *3.11*	addio	*aadieoo*
afscheiding (med.)	la secrezione	*laaseekreetsieoonee*
afschuwelijk *2.6*	orribile	*orriebielee*
afspraak *13.1*	appuntamento	*aapoentaamentoo*
afspreken *3.10*	fissare un appunta- mento	*fiesaaree oen aa- poentaamentoo*
afstand *6.4*	distanza	*diestaantsaa*
aftershave	il dopo barba	*ieldoopoo baarbaa*
agent *14.1, 14.6*	il vigile	*ielviedzjielee*
Aids *3.9*	aids	*aajts*
airconditioning *7.3*	aria condizionata	*aarieaa kondietsieoon- aataa*
akkoord	d'accordo	*daakordoo*
alarm *14.1*	allarme (m)	*aalaarmee*
alarmnummer *14.1*	numero d'allarme	*noemeeroo daalaarmee*
alcohol *3.6, 13.4*	le bevande alcoliche	*leebeevaandee aalkool- iekee*
allebei	tutti e due	*tòetie eedoe-ee*
alleen *3.1*	solo	*sooloo*
allergisch *13.3*	allergico	*aalerdzjiekoo*
alles	tutto	*tòetoo*
alstublieft (antwoord) *2.4*	prego	*preegoo*
alstublieft (vragend)	per favore	*peer faavooree*
altijd *3.4*	sempre	*sempree*
ambassade *14.6*	ambasciata	*aambaasjaataa*
ambulance *13.1, 14.1*	ambulanza	*aamboelaantsaa*
ananas	ananas (m)	*aanaanaas*
andere *3.7*	altro	*aaltroo*
annuleren *6.4, 7.1*	annullare	*aanoelaaree*

ansichtkaart 9.1, 11.1	cartolina	kaartoolienaa
ansjovis 4.6	acciuga	aatsjoegaa
antibiotica 13.4	gli antibiotici	aantiebjootietsjie
anticonceptiepil	pillola anticon-cezionale	pieloolaa aantiekoonts-jeetsieonaalee
antiek (bn) 10.1	antico	aantiekoo
antiek 10 (zn)	gli oggetti antichi	ljie oodzjèttie aantiekie
antivries 10.1	antigelo	aantiedzjeeloo
antwoord 2.3	risposta	riespoostaa
anus 13.2	ano	aanoo
aperitief 4.2, 4.7	aperitivo	aapeerietievoo
apotheek 10, 13.1	farmacia	faarmaatsjieaa
appartement 3.1, 7.3	appartamento	aapaartaamentoo
appel	mela	meelaa
appelmoes 4.6	passato di mele	paasaatoo diemeelee
appelsap 4.6, 4.7	succo di mela	sòekoo diemeelaa
appeltaart 4.6	torta di mele	toortaa diemeelee
april 1.1	aprile	aaprielee
architectuur 11.1	architettura	aarkieteetoeraa
arm 13.2	braccio	braatsjoo
armband 10.1, 14.2	braccialetto	braatsjaalèttoo
artikel 10.1	articolo	aartiekooloo
artisjokken 4.6	i carciofi	iekaartsjoofie
arts 13.1	medico	meediekoo
asbak 4.2	il portacenere	ielportaatsjeeneeree
asperges	gli asparagi	ljieaaspaaraadzjie
aspirine 13.4	aspirina	aaspierienaa
aubergine	melanzana	meelaandzaanaa
augustus 1.1	agosto	aagostoo
auto 3.8, 6.3, 7.2	macchina	màakienaa
autobus 6.1, 6.4	autobus/pullman (m)	autooboes/poelman
autodek	stiva per le automobili	stievaa per lee auto-omoobielie
automaat (machine) 8.1, 10.1	il distributore auto-matico	ieldiestrieboetooree autoomaatiekoo
automaat (auto) 5.4	macchina con il cambio automatico	màakienaa kon iel-kaambjoo auto-omaatiekoo
automatisch 8.1, 10.1	automatico	autoomaatiekoo
autopapieren 14.6	i documenti della macchina	iedookoementie dèelaa màakienaa
autoweg 5.3	autostrada	autoostraadaa
autozitje 5.8	seggiolino di sicurezza	sedzjoolienoo die siekoerèetsaa

A

avond 3.7	sera	s<u>ee</u>raa
avondeten 7.3	cena	tsj<u>ee</u>naa
avondkleding 11.2	abito da sera	<u>aa</u>bietoo daas<u>ee</u>raa
avonds ('s) 1.1	di sera	dies<u>ee</u>raa

B

baby 4.1	bambino/a	baambi<u>e</u>noo/aa
baby-oppas 7.3	la baby-sitter	laabeebiesi<u>e</u>ter
babyvoeding	gli omogeneizzati	ljie oomoodzjeenee-ied-za<u>a</u>tie
bad 7.3	bagno	b<u>aa</u>njoo
badhanddoek	asciugamano da bagno	aasjoeĝaam<u>aa</u>noo daab<u>aa</u>njoo
badhokje	cabina	kaabi<u>e</u>naa
badkamer 7.3	bagno	b<u>aa</u>njoo
badmeester 12.2	bagnino	baanji<u>e</u>noo
badmuts 10.1, 12.2	cuffia da bagno	kòefjaa daab<u>aa</u>njoo
badpak	il costume da bagno	ielkost<u>oe</u>mee daab<u>aa</u>njoo
badschuim	schiuma da bagno	skj<u>oe</u>ma daab<u>aa</u>njoo
bagage 5.2	i bagagli	iebaaĝ<u>aa</u>ljie
bagagedepot 5.2	deposito bagagli	deep<u>oo</u>zietoo baaĝ<u>aa</u>ljie
bagagekluis 5.2	armadietto	aarm<u>aa</u>die-èttoo
bakker 10	panetteria	paanetteeri<u>e</u>aa
bal 12.1	il pallone	ielpaal<u>oo</u>nee
balie 6.4	banco	b<u>aa</u>ngkoo
balkon (aan gebouw) 7.3	il balcone	ielbaalk<u>oo</u>nee
balkon (theater) 11.3	galleria	ĝaaleeri<u>e</u>aa
ballet 11.2	balletto	baal<u>è</u>etoo
balpen	la biro	laabi<u>e</u>roo
banaan	banana	baan<u>aa</u>naa
bandenlichter	levetta sollevagomma	leev<u>è</u>ttaa solleevaaĝ-<u>ò</u>mmaa
bandenspanning 5.5	la pressione delle gomme	laapressie<u>oo</u>nee d<u>è</u>elee ĝ<u>ò</u>omee
bang zijn	avere paura	aav<u>ee</u>ree paao<u>e</u>raa
bank 8.1	banca	b<u>aa</u>ngkaa
banketbakker 10	il pasticciere	ielpaastietsj<u>ee</u>ree
bankpasje 8.1	carta assegni	k<u>aa</u>rtaa aas<u>ee</u>njie
bar (café) 3.7	il bar	ielb<u>aa</u>r
bar (meubel)	il bar	ielb<u>aa</u>r
barbecue 7.2	il barbecue	ielb<u>aa</u>rbeekj<u>oe</u>

basketballen *12.1*	giocare a pallacanestro	*dzjookaaree aa paal-aakaanestroo*
batterij *10.4*	pila	*pielaa*
bed *3.9, 13.3*	letto	*lèttoo*
bedanken *2.4*	ringraziare	*riengraatsieaaree*
bedankt *2.1, 2.4*	grazie	*ĝraatsie-ee*
bediening *4.3*	servizio	*servietsieoo*
bedorven *4.4*	andato a male	*aandaatoo aamaalee*
bedrag *4.4, 8.2*	somma	*sòomaa*
beeld (stand-) *11.1*	statua	*staatoeaa*
beeldhouwkunst	scultura	*skoeltoeraa*
been	gamba	*ĝambaa*
beestje *13.2*	bestia	*beestieaa*
beetje, een	un po'	*oenpo*
begaanbaar *5.3*	transitabile	*traansietaabielee*
beginnen *11.2*	cominciare	*koomientsjaaree*
beginner *12.3*	il/la principiante	*iell/laa prientsjiepjaan-tee*
begrijpen *14.6*	capire	*kaapieree*
begroeten *2.1*	salutare	*saaloetaaree*
beha *10.3*	reggiseno	*redzjieseenoo*
behandeling *13.5*	trattamento	*traataamentoo*
beheerder *7.2*	amministratore (m)	*aamieniestraatooree*
bekeuring *14.6*	multa	*moeltaa*
bekijken *11.1*	vedere	*veedeeree*
Belg *3.1*	il belga	*ielbelĝaa*
België *3.11*	Belgio	*beldzjoo*
Belgische (zn) *3.1*	belga	*belĝaa*
beneden *1.6*	giù	*dzjoe*
benzine *5.5*	benzina	*bendzienaa*
benzinestation *5.5*	il distributore di benzina	*ieldiestrieboetooree die bendzienaa*
berg	montagna	*moontaanjaa*
berghut *11.1*	rifugio alpino	*riefoedzjoo aalpienoo*
bergschoenen *14.5*	gli scarponi da montagna	*ljieskaarpoonie daa moontaanjaa*
bergsport *11.1, 11.2*	alpinismo	*aalpieniezmoo*
beroemd *11.1, 11.2*	famoso	*faamoozoo*
beroep *1.8*	la professione	*laaproofeesieoonee*
beschadigd *5.2*	danneggiato	*daaneedzjaatoo*
besmettelijk *13.3*	contagioso	*kontaadzjoozoo*
bespreekbureau *11.3*	ufficio di prenotazione	*oefietsjoo die preenoot-aatsieoonee*
bespreken *11.3*	prenotare	*preenootaaree*

bestek *4.1, 10.1*	posata	*poozaataa*
bestellen (in restaurant e.d.) *4.2, 5.6*	ordinare	*oordienaaree*
bestellen (taxi)	chiamare	*kjaamaaree*
bestelling *4.2*	ordinazione (v)	*oordienaatsieoonee*
bestemming *5.1, 6.4*	la destinazione	*laadestienaatsieoonee*
betalen *4.3, 6.2, 8.2*	pagare	*paaĝaaree*
betekenen	significare	*sienjiefiekaaree*
beter *13.3*	meglio	*meeljoo*
betrouwbaar (apparaat)	affidabile	*aafiedaabielee*
betrouwbaar (persoon)	fidato	*fiedaatoo*
bevolking	la popolazione	*laapoopoolaatsieoonee*
bewaring, in *5.2*	in custodia	*ienkoestoodieaa*
bewijs (van betaling) *8.2*	ricevuta	*rietsjeevoetaa*
bezet *6.1, 6.7*	occupato	*okkoepaatoo*
bezichtigen *11.1*	visitare	*viezietaaree*
bezienswaardigheid *11.1*	monumento	*moonoementoo*
bezoeken *11.1*	visitare	*viezietaaree*
bibliotheek	biblioteca	*bieblieooteekaa*
bier *4.7*	birra	*bieraa*
biet, rode	barbabietola	*baarbaabjeetoolaa*
bij (dier) *13.2*	ape (v)	*aapee*
bij *1.6*	presso	*prèssoo*
bijpunten *10.5*	spuntare	*spoentaaree*
bijten *13.2*	mordere	*mordeeree*
bijvullen *5.5*	riempire	*rie-empieree*
bijzonder *4.5*	straordinario	*straaoordienaarieoo*
bikini *10.3, 12.2*	il bikini	*ielbiekienie*
biljarten	giocare a biliardo	*dzjookaaree aa bielie-aardoo*
binnen *1.6, 4.1, 13.3*	dentroo	*dentroo*
binnenband *5.6*	camera d'aria	*kaameeraa daarieaa*
binnenlands *6.4*	domestico	*doomestiekoo*
biscuit *10.2*	biscotto	*bieskòttoo*
bitter *4.4*	amaro	*aamaaroo*
blaar *13.2*	vescica	*vesjiekaa*
blauw	azzurro	*aadzòeroo*
blij *2.6*	felice	*feelietsjee*
blijven *3.1, 7.1, 11.1*	rimanere	*riemaaneeree*
blik (conserven)	barattolo	*baaràatooloo*
blikje (limonade)	lattina	*laatienaa*
bliksem	il fulmine	*ielfoelmienee*
blocnote (ruitjes, lijntjes)	blocco (a quadretti/a righe)	*blòkkoo (aa kwaad-rèttie, aa rieĝee)*

bloed _13.3_	il sangue	*ielsaanggwee*
bloeddruk _13.3_	la pressione (del sangue)	*laapressieoonee (del-saanggwee)*
bloedneus _13.2_	naso che sanguina	*naazoo keesaanggwienaa*
bloemkool	il cavolfiore	*ielkaavoolfjooree*
blond _14.5_	biondo	*bjoondoo*
blonderen _10.5_	ossigenare	*oosiedzjeenaaree*
bloot _12.2_	nudo	*noedoo*
blouse _10.3_	camicetta	*kaamietsjèttaa*
bodymilk	il latte per il corpo	*iel làatee per ielkorpoo*
boei _12.2_	boa	*booaa*
boek _10.1_	libro	*liebroo*
boekhandel _10_	libreria	*liebreerieaa*
boer	contadino	*kontaadienoo*
boerderij	fattoria	*faatoorieaa*
boerin	contadina	*kontaadienaa*
bon (kwitantie) _5.1_	lo scontrino	*loskontrienoo*
bonbon	cioccolatino	*tsjookoolaatienoo*
bonen (witte -) _4.6, 10.1_	i fagioli (bianchi)	*iefaadzjoolie (bjaang-kie)*
boodschap (bericht) _7.3_	messaggio	*meesaadzjoo*
boodschappen doen _10.1_	fare la spesa	*faaree laaspeezaa*
boord, aan	a bordo	*aaboordoo*
boos _2.6_	arrabbiato	*aaraabjaatoo*
boot	barca	*baarkaa*
bord (op straat) _5.3_	cartello	*kaartèlloo*
bord (eten) _4.2_	piatto	*pjàatoo*
borgsom _5.8, 7.5, 8.2_	caparra	*kaapàaraa*
borrel _4.1, 4.2_	aperitivo	*aapeerietievoo*
borst	petto	*pèttoo*
borstel _10.1_	spazzola	*spàatsoolaa*
bot	osso	*òssoo*
botanische tuin	giardino botanico	*dzjaardienoo bootaaniekoo*
boter _4.7_	burro	*bòeroo*
botsing _14.6_	la collisione	*laakooliesieoonee*
bouillon _4.6_	brodo	*broodoo*
boven _1.6, 6.3_	sopra	*soopraa*
bowlen	giocare a bowling	*dzjookaaree aabauliengg*
braken _13.2_	vomitare	*voomietaaree*
brand _14.3_	incendio	*ientsjendieoo*

brandblusapparaat 7.3, 14.1	estintore (m)	estientooree
branden 13.2	bruciare	broetsjaaree
brandtrap 7.3, 14.1	scala di sicurezza	skaalaa die siekoerèetsaa
brandweer 14.1	i pompieri/i vigili del fuoco	iepoompjeerie/ieviedzjielie deel fwookoo
brandwond 13.2	bruciatura	broetsjaatoeraa
brandzalf 10.1	pomata contro le ustioni	poomaataa koontroo lee oestieoonie
breien 3.5	lavorare a maglia	laavooraaree aamaaljaa
breken (been) 13.3	rompersi (la gamba)	roompeersie (laa ĝaambaa)
brengen 3.11, 6.7	portare	portaaree
brief 9.1	lettera	lètteeraa
briefkaart 9.1	cartolina postale	kaartoolienaa postaalee
briefpapier 9.1, 10.1	carta da lettere	kaartaa daa lètteeree
brievenbus 9.1	buca da lettere	boekaa daalètteeree
bril	gli occhiali	ljieokkjaalie
brochure 11.1	opuscolo	oopoeskooloo
broek (korte, lange)	i pantaloni (corti, lunghi)	iepaantaaloonie (koortie, loenĝĝie
broekje (slipje) 10.1	le mutande	leemoetaandee
broekrok 10.3	la gonna pantaloni	laaĝònnaa paantaaloonie
broer 3.1	fratello	fraatèlloo
brommer 5.6	motorino	mootoorienoo
bron	la sorgente	laasoordzjentee
brood 4.2	il pane	ielpaanee
broodje (ongesmeerd) 4.7	panino (senza burro)	paanienoo)sentsaa bòeroo)
broodje (gesmeerd) 4.7	panino (con burro)	paanienoo (koon bòeroo
brug	il ponte	ielpoontee
bruiloft 3.2	le nozze	leenòtsee
bruin	marrone	maaroonee
brussels lof 4.6, 10.2	cicoria	tjsiekoorieaa
buik 13.3	lo stomaco/pancia	lostoomaakoo/paantsjaa
buikpijn 13.2	il mal di stomaco/pancia	ielmaal diestoomaakoo/paantsjaa
buiten 1.6, 4.1, 13.4	fuori	fwoorie
buitenband 5.7	il copertone	ielkoopertoonee
buitenland 9.2	estero	esteeroo

buitenlands	straniero	*straanie-eeroo*
bungalowpark 7.3	villaggio turistico	*vielàadzjoo toeriestie-*
		koo
buren 7.4	i vicini	*ievietsjienie*
burgemeester	sindaco	*siendaakoo*
bus (auto-) 6.1	autobus/pullman (m)	*autooboes/poelman*
bushalte 6.4	fermata	*feermaataa*
businessclass 6.3	la prima classe	*laapriemaa klàasee*
busje (bestel-) 5.8	il furgone	*ielfoergoonee*
busstation 6.4	la stazione degli	*laastaatsieoonee deeljie*
	autobus	*autooboes*

C

cadeau 10.1	regalo	*reegaaloo*
café 3.7	il caffè	*ielkaafe*
cafeïne-vrij 4.7	senza caffeina	*sentsaa kaafee-ienaa*
camera 10.4	macchina fotografica	*màakienaa footoogŗaaf-*
		iekaa
camper 7.2	il camper	*ielkaamper*
camping 3.1, 7.2	campeggio	*kaampèedzjoo*
campinggas (propaan)	bombola a gas propa-	*boomboolaa aagaas*
7.2	no	*proopaanoo*
campinggas (butaan) 7.2	bombola a gas butano	*boomboolaa aagaas*
		boetaanoo
caravan 7.2	la roulotte	*laaroelot*
casino	casinò	*kaazieno*
cassette (foto) 10.4	cassetta	*kaasèettaa*
cassette (muz) 10.1	nastro	*naastroo*
catalogus 11.1	catalogo	*kaataaloogoo*
cd 10.1	il compact (disk)	*ielkoompaakt (diesk)*
ceintuur 10.3	cintura	*tsjientoeraa*
centimeter	centimetro	*tsjientiemeetroo*
centrale verwarming 7.3	riscaldamento centrale	*rieskaaldaamentoo*
		tsjentraalee
centrum 6.7	centro	*tsjentroo*
champagne 4.2, 4.6, 10.2	lo champagne	*losjaampaanjee*
chartervlucht 6.5	volo charter	*vooloo tsjaarter*
chauffeur 6.1	autista (m)	*autiestaa*
chef 4.4	capo	*kaapoo*
cheque 8.1	assegno	*aaseenjoo*
chips	le patatine	*leepaataatienee*
chocolade	cioccolata	*tsjookoolaataa*
chocolademelk 4.7	cioccolata	*tsjookoolaataa*

circus *11.2*	circo	*tsjierkoo*
cirkel	cerchio	*tsjerkjoo*
citroen	il limone	*iel liemoonee*
cognac *4.2, 4.6, 10.2*	il cognac	*ielkoonjaak*
collega *3.1*	il/la collega	*iel/laa kooleegaa*
compliment *3.8, 4.5*	complimento	*koompliementoo*
concert *11.2*	concerto	*koontsjertoo*
concertgebouw *11.2*	teatro di musica	*teeaatroo diemoeziekaa*
condoom *3.9*	preservativo	*preezervaatievoo*
constipatie *13.2*	stitichezza	*stietiekètsaa*
consulaat *14.6*	consolato	*koonsoolaatoo*
consult *13.3*	consulto	*koonsoeltoo*
contactlens	la lente a contatto	*laalentee aakoontàatoo*
contactlensvloeistof	liquido per lenti a contatto	*liekwiedoo peer lentie aakoontàatoo*
contactsleutel *5.4*	la chiave d'accensione	*laakjaavee daatsjensieoonee*
controleren	controllare	*koontroolaaree*
correct *4.4, 9.2*	giusto	*dzjoestoo*
corresponderen *3.11*	corrispondere	*kooriespoondeeree*
couchette *6.3*	cuccetta	*koetsjèetaa*
coupé *6.3*	lo scompartimento	*loskoompaartiementoo*
courgette	zucchina	*dzoekienaa*
creditcard *8.1*	carta di credito	*kaartaa diekreedietoo*
crème	pomata	*poomaataa*
croissant	il cornetto	*ielkornèetoo*

D

daar *1.6*	qua/là	*kwaa/laa*
dag *1.1*	giorno	*dzjoornoo*
dag (groet) *2.1*	ciao	*tsjauw*
dagmenu *4.2*	il menù del giorno	*ielmeenoe del dzjoornoo*
dagschotel *4.2*	piatto del giorno	*pjàatoo del dzjoornoo*
dal	la valle	*laavàalee*
damestoilet *3.2, 4.1*	gabinetto per signore	*ĝaabienèttoo per sienjooree*
dammen *3.7*	giocare a dama	*dzjookaaree aadaamaa*
dank u wel *2.4*	grazie	*ĝraatsie-ee*
dansen *2.6, 3.5, 3.7*	ballare	*baalaaree*
das (tegen de kou) *10.3*	sciarpa	*sjaarpaa*
december *1.1*	dicembre	*dietsjembree*
deken *7.3*	coperta	*koopertaa*
denken *3.9*	pensare	*pensaaree*

deodorant	il deodorante	*ieldeeoodooraantee*
derde (het derde deel) *1.4*	terzo	*tertsoo*
dessert *4.6*	il dolce	*ieldooltsjee*
deur *7.1*	porta	*portaa*
dia *10.4*	diapositiva	*dieaapoozietievaa*
diabeet *4.2*	diabetico	*dieaabeetiekoo*
diamant *10.1, 14.2*	il diamante	*ieldieaamaantee*
diarree *13.2*	diarrea	*dieaareeaa*
dicht *11.1*	chiuso	*kjoezoo*
dichtbij *1.6*	vicino	*vietsjienoo*
dieet *4.2, 13.3*	dieta	*die-eetaa*
dief *14.1*	ladro	*laadroo*
diefstal *14.4*	furto	*foertoo*
dienstregeling *6.4*	orario	*ooraarieoo*
diep *12.2*	profondo	*proofoondoo*
diepvries *10.2*	il surgelatore	*ielsoerdzjeelaatooree*
diepzeeduiken *12.2*	gli sport subacquei	*ljiesport soebàakweej*
dier	animale (m)	*aaniemaalee*
dierbaar	caro	*kaaroo*
dierentuin	lo zoo	*lodzo*
diesel *5.5*	gasolio	*ĝaazoolieoo*
dieselolie *5.5*	olio per motori diesel	*oolieoo peer mootoorie diezel*
dij	coscia	*kosjaa*
dik	grasso	*ĝràasoo*
diner *7.3*	cena	*tsjeenaa*
dineren *3.7, 11.2*	cenare	*tsjeenaaree*
dinsdag *1.1*	il martedì	*ielmaarteedie*
disco *7.4, 11.2*	discoteca	*dieskooteekaa*
dochter *3.1*	figlia	*fieljaa*
doe-het-zelf-zaak *10*	negozio fai-da-te	*neeĝootsieoo faaidaatee*
doen *3.1*	fare	*faaree*
dokter *13.1, 14.1*	medico	*meediekoo*
donderdag *1.1*	il giovedì	*ieldzjooveedie*
donker	scuro	*skoeroo*
dood	morto	*mortoo*
dooien *1.5*	sgelare	*zdzjeelaaree*
doorslikken *13.4*	inghiottire	*ienĝjootieree*
doorsturen *7.5*	spedire	*speedieree*
doos *10.2*	scatola	*skaatoolaa*
doperwten *4.6, 10.2*	i piselli	*iepiezèllie*
dorp	il paese	*ielpaaeezee*
dorst *3.2, 3.6*	la sete	*laaseetee*
douane *5.1*	dogana	*dooĝaanaa*

douanecontrole 5.1	controllo doganale	*koontròlloo dooĝaan-aalee*
douche 7.2, 12.2	doccia	*dòotsjaa*
draad(je) 3.5	filo	*fieloo*
draaien (nummer) 9.2	fare	*faaree*
drankje (med.) 13.4	lo sciroppo	*losjieròppoo*
driehoek	triangolo	*trieaangĝooloo*
dringend 9.2, 14.1	urgente	*oerdzjèntee*
drinken 3.6, 4.2	bere	*beeree*
drinkwater 7.2	acqua potabile	*àakwaa pootaabielee*
drogen 10.5	asciugare	*aasjoeĝaaree*
dromen 3.9	sognare	*soonjaaree*
droog 3.4	secco	*sèkkoo*
droogshampoo 10.1, 10.5	lo shampoo in polvere	*losjaampoo ienpolveeree*
droogte 1.5	siccità	*sietsjietaa*
droogtrommel 7.2	asciugatore	*aasjoeĝaatooree*
drop	liquirizia	*liekwieriètsieaa*
druiven	l'uva	*loevaa*
druivesap 4.2, 4.6, 10.2	succo d'uva	*sòekoo doevaa*
druk (spanning)	la pressione	*laapreesieoonee*
druk (veel mensen) 7.2	frequentato	*freekwentaatoo*
druk (bezig)	occupato	*ookoepaatoo*
drukken	stampare	*staampaaree*
duidelijk 9.2	chiaro	*kjaaroo*
duif	il piccione	*ielpietsjoonee*
duiken 12.2	tuffarsi	*toefaarsie*
duikplank 12.2	trampolino	*traampoolienoo*
duiksport	gli sport subacquei	*ljiesport soebàakwej*
duikuitrusting	attrezzatura da sub	*aatreetsaatoeraa daasoeb*
Duits	tedesco	*teedèskoo*
duizelig zijn 13.2	avere il capogiro	*aaveeree iel kaapoodzjieroo*
dun	sottile	*sootielee*
duren 5.6, 11.1	durare	*doeraaree*
duur (bn) 10.1	caro	*kaaroo*
duwen 5.6	spingere	*spiendzjeeree*

E

eau de toilette	eau de toilette (m)	*oodetwaalet*
eb 12.2	bassa marea	*bàasaa maareeaa*
eczeem	eczema (m)	*ekdzeemaa*
eenpersoons 7.3	singolo	*sienĝooloo*

eenrichtingsverkeer *5.3*	senso unico	s<u>e</u>nsoo <u>oe</u>niekoo
eenvoudig *10.1*	semplice	sempl<u>ie</u>tsjee
eergisteren *1.1*	l'altro ieri	l<u>aa</u>ltroo j<u>ee</u>rie
eerlijk	onesto	oon<u>e</u>stoo
eerste hulp *14.1*	pronto soccorso	pr<u>oo</u>ntoo sook<u>oo</u>rsoo
eerste *1.4*	primo	pr<u>ie</u>moo
eerste klas *6.3*	la prima classe	laapr<u>ie</u>maa kl<u>àà</u>asee
eetzaal *7.3*	sala da pranzo	s<u>aa</u>laa daapr<u>aa</u>ntsoo
ei *4.7*	uovo	w<u>oo</u>voo
eigenlijk	in fondo	ienf<u>oo</u>ndoo
eiland	isola	i<u>e</u>zoolaa
eindpunt *11.1*	il capolinea	ielkaapool<u>ie</u>neeaa
elastiekje	elastichino	eelaastiek<u>ie</u>noo
elektriciteitsaansluiting *7.2*	impianto di elettricità	iempj<u>aa</u>ntoo die eelettr<u>ie</u>tsjiet<u>aa</u>
elektrisch *7.1, 10.1*	elettrico	eel<u>è</u>ttriekoo
emmer *7.2, 10.1*	secchio	s<u>èè</u>kjoo
Engels	inglese	iengg<u>lee</u>zee
enkel *13.2*	caviglia	kaav<u>ie</u>ljaa
enkele reis (kaartje) *6.3*	andata	aand<u>aa</u>taa
entree *11.2*	ingresso	iengg<u>rè</u>ssoo
envelop *10.1*	busta	b<u>oe</u>staa
erg (ernstig) *13,2, 14.1*	grave	ĝr<u>aa</u>vee
ergens *1.6*	da qualche parte	daakw<u>aa</u>lkee p<u>aa</u>rtee
ernstig *13.3*	grave	ĝr<u>aa</u>vee
escort-guide *11.2*	escort-guide	eskortĝ<u>aa</u>jd
etalage *10.3*	vetrina	veetr<u>ie</u>naa
eten (ww) *3.7, 4.2*	mangiare	maandzj<u>aa</u>ree
etmaal *13.4*	le ventiquattro ore	lee veentiekw<u>àà</u>atroo <u>oo</u>ree
evenement	avvenimento	aaveeni<u>e</u>mentoo
excursie *11.1*	escursione (v)	eskoersie<u>oo</u>nee
excuses *2.5*	scusi	sk<u>oe</u>zie
eyeliner	eye-liner (m)	aail<u>aa</u>jner

F

fabriek *10.1, 11.1*	fabbrica	f<u>àà</u>abriekaa
familie *3.1*	famiglia	faami<u>e</u>ljaa
faxen *9.1*	spedire un fax	speedi<u>e</u>ree oenf<u>aa</u>ks
februari *1.1*	febbraio	feebr<u>aa</u>joo
feest *3.3, 11.1*	festa	f<u>e</u>staa
feestdag *1.2*	giorno festivo	dzj<u>oo</u>rnoo festi<u>e</u>voo
feestje *3.7*	festa	f<u>e</u>staa

feestvieren 3.3	far festa	*faarfestaa*
feliciteren 3.3	congratulare	*konğraatoelaaree*
fiets 5.7	bicicletta	*bietsjieklèetaa*
fietsenmaker 5.7	meccanico delle motociclette e delle biciclette	*meekaaniekoo dèelee mootootsjieklèetee e dèelee bietsjieklèetee*
fietspomp 5.7	pompa della bicicletta	*poompaa deelaa bietsjieklèetaa*
fietszitje 5.7	seggiolino per la bicicletta	*sedzjoolienoo peer laa bietsjieklèetaa*
fijn 2.6	bello	*bèlloo*
film 3.5, 10.4, 11.2	il film	*ielfielm*
filmcamera 10.4, 14	macchina da presa	*màakienaa daapreezaa*
filter	filtro	*fieltroo*
fitnesscentrum	palestra	*paalestraa*
fitnesstraining	il fitness	*ielfietnes*
flat	appartamento	*aapaartaamentoo*
flauw (eten) 4.4	insipido	*iensiepiedoo*
flauwekul 2.6	le sciocchezze	*leesjokkètsee*
fles (voor baby)	poppatoio	*poppaatoojoo*
fles 4.2, 5.1, 10.2	bottiglia	*bootieljaa*
flessewarmer 4.1	lo scaldabiberon	*loskaaldaabiebeeron*
flitsblokje 10.4	cubo flash	*koebooflesj*
flitser 10.4	il flash	*ielflesj*
flitslampje 10.4	lampada flash	*laampaadaa flesj*
föhnen 10.5	asciugare con il fon	*aasjoegaaree kon ielfon*
folkloristisch	folcloristico	*foolklooriestiekoo*
fontein	fontana	*foontaanaa*
fooi 4.3	mancia	*maantsjaa*
forel	trota	*trootaa*
formulier 1.8, 9.1	modulo	*moodoeloo*
fort 11.1	fortezza	*foortèetsaa*
foto 3.2	la foto	*laafootoo*
fotograferen 3.5, 11.1	fotografare	*footooğraafaaree*
fotokopie 9.1	fotocopia	*footookoopjaa*
fotokopiëren 9.1	fare una fotocopia	*faaree oenaa footookoopjaa*
fototoestel 10.4, 14.2, 14.4	macchina fotografica	*màakienaa footooğraafiekaa*
fout (zn) 4.4	errore (m)	*erooree*
frambozen 4.6, 10.2	i lamponi	*ielaampoonie*
frank 8.1	franco	*fraangkoo*
Frans	francese	*fraantsjeezee*
frisdrank 4.7	bevanda	*beevaandaa*

G

gaan	andare	*aandaaree*
gaar *4.4*	cotto	*kòttoo*
galerie	galleria	*ĝaaleerieaa*
gang (in gebouw) *7.4*	corridoio	*kooriedoojoo*
garage *5.6*	il garage	*ielĝaaraazj*
garderobe *11.2*	guardaroba	*ĝwaardaaroobaa*
garen *3.5*	filo	*fieloo*
garnalen *4.6, 10.2*	i gamberetti	*ieĝaambeerèttie*
gastvrijheid *3.11, 7.5*	ospitalità	*ospietaalietaa*
gauw *2.1, 3.11*	presto	*prestoo*
gebakje	pasticcino	*paastietsjienoo*
gebakken *4.2*	fritto	*frietoo*
geboren *3.1*	nato	*naatoo*
gebouw	edificio	*eediefietsjoo*
gebraden *4.2*	arrostito	*aarostietoo*
gebruikelijk	in uso	*ienoezoo*
gebruiken *13.4*	usare	*oezaaree*
gebruiksaanwijzing *10.1*	istruzione (v) per l'uso	*iestroetsieoonee perloezoo*
gedistilleerd water *5.4*	acqua distillata	*àakwaa diestielaataa*
gedurende *13.4*	durante	*doeraantee*
geel	giallo	*dzjàaloo*
gegevens *14.3*	i dati	*iedaatie*
gehakt	la carne tritata	*laakaarnee trietaataa*
gehoorapparaat	apparecchio acustico	*aapaarèekjoo aakoestiekoo*
geitekaas	formaggio caprino	*foormàadzjoo kaaprienoo*
gekoeld *10.2*	fresco	*freeskoo*
gekookt *4.2*	cotto	*kòttoo*
gekruid *4.2*	aromatizzato	*aaroomaatiedzaatoo*
gel *10.5*	il gel	*ieldzjel*
geld *8.1*	i soldi	*iesoldie*
geldig *6.1*	valido	*vaaliedoo*
geloof	la fede	*laafeedee*
geluk *2.1*	fortuna	*foortoenaa*
gemakkelijk	facile	*faatsjielee*
gember *4.6, 10.2*	lo zenzero	*lodzendzeeroo*
geneesmiddel *13.4*	medicamento	*meediekaamentoo*
genieten *3.11*	godere	*ĝoodeeree*

goedenacht *2.1*	buona notte	*bw<u>oo</u>naa nòttee*
goedenavond *2.1*	buona sera	*bw<u>oo</u>naa s<u>ee</u>raa*
goedendag *2.1*	buongiorno	*bwondzj<u>oo</u>rnoo*
goedkoop *10.1*	a buon mercato	*aabw<u>o</u>n merk<u>aa</u>too*
golfbaan *12.1*	campo da golf	*k<u>aa</u>mpoo daag<u>oo</u>lf*
golfen *12.1*	giocare a golf	*dzjook<u>aa</u>ree aag<u>oo</u>lf*
golfslagbad *12.2*	piscina con movimento a onda marina	*piesj<u>ie</u>naa koon moov-iem<u>e</u>ntoo aa <u>oo</u>ndaa maar<u>ie</u>naa*
goud	oro	*<u>oo</u>roo*
graag *2.4, 4.2*	volentieri	*voolentie-<u>ee</u>rie*
graden *1.5, 13.2*	i gradi	*ieĝr<u>aa</u>die*
graf	tomba	*t<u>oo</u>mbaa*
gram *10.2*	grammo	*ĝr<u>à</u>amoo*
grap	lo scherzo	*losk<u>e</u>rtsoo*
grapefruit	pompelmo	*poomp<u>e</u>lmoo*
gratis *11.1, 11.3*	gratis	*ĝr<u>aa</u>ties*
grens *5.1*	frontiera	*froontie-<u>ee</u>raa*
griep *13.3*	influenza	*ienfloe-<u>e</u>ntsaa*
grijs	grigio	*ĝr<u>ie</u>dzjoo*
grilleren *4.2*	arrostire sulla griglia	*aarost<u>ie</u>ree sòelaa ĝr<u>ie</u>ljaa*
groen	verde	*v<u>e</u>rdee*
groene kaart *5.4*	carta verde	*k<u>aa</u>rtaa v<u>e</u>rdee*
groente *4.7*	verdura	*verd<u>oe</u>raa*
groentesoep *4.6*	il minestrone	*ielmienestr<u>oo</u>nee*
groep *11.1*	gruppo	*ĝr<u>ò</u>epoo*
groeten, de *2.1, 3.11*	(tanti) saluti	*(t<u>aa</u>ntie) saal<u>oe</u>tie*
grond	terra	*t<u>è</u>rraa*
groot *10.1*	grande	*ĝr<u>aa</u>ndee*
groothoeklens	il grandangolare	*ielĝr<u>aa</u>ndaangĝool<u>aa</u>ree*
grot	grotta	*ĝr<u>ò</u>ttaa*
grote weg	strada maestra	*str<u>aa</u>daa maa<u>e</u>straa*
gulden *8.1*	fiorino	*fjoor<u>ie</u>noo*

H

haai *4.6, 12.2*	lo squalo	*loskw<u>aa</u>loo*
haar *10.5, 14.5*	i capelli	*iekaap<u>è</u>ellie*
haarborstel	spazzola	*sp<u>à</u>atsoolaa*
haarlak *10.1, 10.5*	lacca	*l<u>à</u>akaa*
haarspelden *10.1, 10.5*	le forcine	*leefoortsj<u>ie</u>nee*
haast (zn) *6.7, 7.5, 13.5*	fretta	*fr<u>è</u>etaa*
hak *10.3*	tacco	*t<u>à</u>akoo*

halen *3.10, 5.6*	andare/venire a prendere	*aandaaree/veenieree aa prendeeree*
half *1.4*	mezzo	*mèdzoo*
halfvol (v. melk) *10.2*	parzialmente scremato	*paartsieaalmentee skreemaatoo*
halfvol (halfleeg)	pieno a metà	*pjeenoo aameetaa*
hallo *2.1*	ciao	*tsjauw*
halte *6.1*	fermata	*feermaataa*
ham (gekookt)	prosciutto (cotto)	*proosjòetoo (kòttoo)*
ham (rauw)	prosciutto (crudo)	*proosjòetoo (kroedoo)*
hamer	martello	*maartèlloo*
hand	la mano	*laamaanoo*
handdoek *7.3*	asciugamano	*aasjoeğaamaanoo*
handgemaakt *10.1*	fatto a mano	*fàatoo aamaanoo*
handrem *5.4*	freno a mano	*freenoo aamaanoo*
handschoen *10.3*	guanto	*ğwaantoo*
handtas	borsa	*boorsaa*
handtekening *8.1*	firma	*fiermaa*
hard (niet zacht) *7.2*	duro	*doeroo*
hard (spreken) *9.2*	forte	*foortee*
haring (vis)	aringa	*aarienğğaa*
haring (tent-) *7.2*	picchetto	*piekèetoo*
hart	il cuore	*ielkwooree*
hartelijk dank *2.4*	mille grazie	*mìelee ğraatsie-ee*
hartig *4.2*	saporito	*saapoorietoo*
hartpatiënt zijn *13.3*	essere malato al cuore	*èsseeree maalaatoo aalkwooree*
haven	porto	*portoo*
hazelnoot *4.2, 10.1*	nocciola	*nootsjoolaa*
hechten (med) *13.3*	suturare	*soetoeraaree*
hechting *13.3*	punto	*poentoo*
heerlijk (van eten) *4.5*	delizioso	*deelietsieoozoo*
heerlijk (geweldig)	bellissimo	*belliesiemoo*
heimwee	nostalgia	*noostaaldzjieaa*
hek *7.1*	cancello	*kaantsjèlloo*
helemaal	del tutto	*deeltòetoo*
helft *1.4*	metà	*meetaa*
helm *5*	casco	*kaaskoo*
helpen *2.2, 3.2, 14.1*	aiutare/dare una mano	*aajoetaaree/daaree oenaa maanoo*
hemd *10.3*	cannottiera	*kaanottie-eeraa*
hengel *12.2*	canna da pesca	*kàanaa daapeeskaa*
herfst *1.1*	autunno	*autòenoo*
herhalen	ripetere	*riepeeteeree*

hersenschudding 13.2	la commozione cerebrale	laakoomootsieoonee tsjeereebraalee
heten 3.1	chiamarsi	kjaamaarsie
hetzelfde 4.2	lo stesso	lostèesoo
heup 13.2	anca	aanĝkaa
hiel	calcagno	kaalkaanjoo
hier 1.6	qui/lì	kwiellie
hobby 3.5	hobby (m)	òbbie
hoe? 2.2	come?	koomee?
hoed	cappello	kaapèlloo
hoek 4.1	angolo	aanĝgooloo
hoelang? 2.2	quanto tempo?	kwaantoo tempoo?
hoest 13.2	la tosse	laatòosee
hoestdrank 13.4	lo sciroppo per la tosse	losjieròppoo per laatòosee
hoeveel? 2.2	quanto?	kwaantoo?
hoe ver? 2.2	quanto è lontano	kwaantoo elloontaan-oo?
hond 13.2	il cane	ielkaanee
honger 4.1	la fame	laafaamee
honing 4.7	il miele	ielmjeelee
hoofd	testa	testaa
hoofdpijn 13.2	il mal di testa	ielmaal dietestaa
hoofdpostkantoor 9.1	ufficio postale centrale	oefietsjoo postaalee tsjentraalee
hoog 10.3	alto	aaltoo
hooikoorts 13.2	la febbre da fieno	laafèbbree daafjeenoo
horizontaal 7.2	orizzontale	oeriedzoontaalee
hotel 3.1, 6.7, 7.3	albergo	aalberĝoo
houdbaar 10.2	conservabile	koonservaabielee
houden van (iets) 2.6, 3.5	piacere	pjaatsjeeree
houden van (iem) 3.9	amare	aamaaree
hout	legno	leenjoo
huid	la pelle	laapèllee
huilen	piangere	pjaandzjeeree
huis 3.1, 3.11	casa	kaazaa
huisdieren 7.1	gli animali domestici	ljieaaniemaalie doomestietsjie
huishoudelijke artikelen	i casalinghi	iekaazaaliengĝie
huisje (vakantie-) 7.3	casa	kaazaa
huisvrouw 3.1	casalinga	kaazaaliengĝaa
hulp 5.6, 14.1	aiuto	aajoetoo
huren (huis)	affittare	aafietaaree

155

H

huren (auto e.d.) 5.8, 12.1	prendere a noleggio	prendeeree aan-oolèedzjoo
hut (niet op schip) 7.2	capanna	kaapàanaa
hut (op schip) 6.3	cabina	kaabienaa
huur (te -)	affittasi	aafietaasie
huwelijk	matrimonio	maatriemoonieoo
huwelijk (bruiloft)	le nozze	leenòtsee
hyperventilatie 13.2	iperventilazione (v)	ieperventielaatsieoonee

I

idee 3.7	idea	iedeeaa
identificeren 5.1, 8.1	identificare	iedentiefiekaaree
identiteitsbewijs 1.8	carta d'identità	kaartaa diedentietaa
iemand	qualcuno	kwaalkoenoo
ijs (consumptie-) 4.7	gelato	dzjeelaatoo
ijsblokjes 4.7	ghiaccio	gjaatsjoo
ijzer	ferro	fèrroo
imperiaal	imperiale (m)	iempeerieaalee
in 1.6	in	ien
inbegrepen 4.3, 5.8	incluso	iengkloezoo
inbraak 14.4	lo scasso	loskàasoo
inchecken 6.5	fare l'accettazione	faaree laatsjeetaat-sieoonee
inclusief 7.1	incluso	iengkloezoo
indrukken 3.2	pigiare	piedzjaaree
inenten 13.3	vaccinare	vaatsjienaaree
infectie (virus-, bacterie-) 13.3	infezione (v) (virale, batterica)	ienfeetsieoonee (vieraalee, baateeriekaa)
informatie 11.1	informazione (v)	ienfoormaatsieoonee
inhaalverbod 5.3	divieto di sorpasso	dievjeetoo die soorpàasoo
inhalen	sorpassare	soorpaasaaree
injectie 13.4	puntura	poentoeraa
inlegkruisje	il salvaslip	ielsaalvaazliep
inlegzool 10.3	il sottosuola	ielsootooswoolaa
inlichting 6.4	informazione (v)	ienfoormaatsieoonee
inlichtingenbureau 6.4	ufficio d'informazione	oefietsjoo dienfoormaatsieoonee
innemen 13.4	prendere	prendeeree
inpakken 10.1	incartare	iengkaartaaree
insekt 7.4, 13.2	insetto	iensèttoo
insektebeet 13.2	puntura d'insetto	poentoeraa diensèttoo
insgelijks 2.1	altrettanto	aaltreetaantoo

interlokaal 9.2	interurbano	*ienteeroerbaanoo*
internationaal 9.2	internazionale	*ienteernaatsieoonaalee*
invalide	invalido (al lavoro)	*ienvaaliedoo (aalaav-ooroo)*
invoerrechten 5.1	le tasse d'importazio-ne	*leetàasee diemportaat-sieoonee*
invullen 1.8, 8.1	compilare	*koompielaaree*
Italiaans	italiano	*ietaalieaanoo*

J

ja 2.3	sì	*sie*
jaar 1.1, 3.1	anno	*àanoo*
jacht (schip) 12.2	lo yacht	*lojot*
jachthaven 12.2	porto turistico	*portoo toeriestiekoo*
jam 4.7	marmellata	*maarmeelaataa*
jammer 2.6	peccato	*peekaatoo*
januari 1.1	gennaio	*dzjennaajoo*
jarig zijn	avere il compleanno	*aaveeree iel koom-pleeàanoo*
jas 3.4, 10.3	soprabito/cappotto	*soopraabietoo/kaap-òttoo*
jasje 10.3	giacca	*dzjàakaa*
jeugdherberg 7.1	ostello della gioventù	*ostèlloo dèelaa dzjoov-entoe*
jeuk 13.2	il pizzicore	*ielpietsiekooree*
jodium 13.4	(tintura di) iodio	*(tientoeraa die joodieoo*
joggen 12.1	fare footing	*faaree foetienĝĝ*
jongen 3.8	ragazzo	*raaĝàatsoo*
juli 1.1	luglio	*loeljoo*
juni 1.1	giugno	*dzjoenjoo*
jurk 10.3	vestito	*vestietoo*
juwelier 10	gioielleria	*dzjoojelleerieaa*

K

kaak 13.5	mascella	*maasjèllaa*
kaars 10.1	candela	*kaandeelaa*
kaart 5.0	pianta/mappa	*pjaantaa/màapaa*
kaart (ansicht)	catolina	*kaartoolienaa*
kaartje (voor transport) 6.3	biglietto	*bieljèetoo*
kaartje (toegang) 11.3	biglietto (d'ingresso)	*bieljèetoo (dienĝĝrèssoo*

kaas (oude, jonge) 4.7	formaggio (vecchio, giovane)	*foormàadzjoo (vèkjoo/ dzjoovaanee*
kabeljauw	merluzzo	*meerlo̱e̱tsoo*
kakkerlak 7.4	lo scarafaggio	*loskaaraafàadzjoo*
kalfsvlees 4.6	vitello	*vietèlloo*
kalmeringsmiddel 13.4	il tranquillante	*ieltraangkwiela̱a̱ntee*
kam	il pettine	*ielpèttienee*
kamer 7.3	camera	*ka̱ameeraa*
kamermeisje 7.3	cameriera	*kaameerie-eeraa*
kamernummer 7.3	numero della camera	*no̱e̱meeroo dèelaa ka̱ameeraa*
kampeergids 7.2	guida dei campeggi	*g̱wiedaa deejkaam- pèedzjie*
kampeerterrein 7.2	terreno da campeggio	*terre̱e̱noo daakaam- pèedzjoo*
kampeervergunning 7.2	permesso di campeg- giare	*peermèesoo die kaam- peedzja̱a̱ree*
kamperen 7.2	campeggiare	*kaampeedzja̱a̱ree*
kampvuur 7.2	fuoco	*fwo̱o̱koo*
kampwinkel 7.2	il mini-market	*ielmieniema̱a̱rket*
kano 12.2	canoa	*kaano̱o̱aa*
kanoën 12.2	andare in canoa	*aanda̱a̱ree ienkaano̱o̱aa*
kant (richting) 5	la direzione	*laadiereetsieo̱o̱nee*
kant (zijde) 6.4	lato	*la̱a̱too*
kant (stof) 10.1	trina	*trie̱naa*
kantoor	ufficio	*oefie̱tsjoo*
kapel 11.1	cappella	*kaapèllaa*
kapot 4.4, 10.4	rotto	*ròotoo*
kapper (dames, heren) 10	il parrucchiere/il barbiere	*ielpaaroekje̱e̱ree/ ielbaarbje̱e̱ree*
karaf 4.2	caraffa	*kaarà̱afaa*
kassa 8.2, 10.1	cassa	*kàasaa*
kassabon 8.2, 10.1	lo scontrino	*loskoontrie̱noo*
kasteel 11.1	castello	*kaastèlloo*
kat	gatto	*g̱àatoo*
kathedraal 11.1	la cattedrale	*laakaateedra̱a̱lee*
katoen 10.3	il cotone	*ielkooto̱o̱nee*
kauwgum	il chewing gum	*ieltsjoeng̱g̱um*
keel 13.2	gola	*g̱oolaa*
keelpastilles	le pasticche per la gola	*leepaastie̱kee per laag̱oolaa*
keelpijn 13.2	il mal di gola	*ielma̱a̱l dieg̱oolaa*
keer 13.4	volta	*voltaa*
kengetal 9.2	prefisso	*preefie̱soo*

kentekenbewijs *5.1*	libretto di circolazione	*liebrèttoo dietsjierkool-aatsieoonee*
kerk *11.1*	chiesa	*kjeezaa*
kerkdienst	servizio religioso	*servietsieoo reeliedz-joozoo*
kerkhof	cimitero	*tsjiemieteeroo*
kermis	giostra	*dzjostraa*
kersen	le ciliege	*leetsjieljeedzjee*
ketting *10.1*	catena	*kaateenaa*
keuken *7.4*	cucina	*koetsjienaa*
kies *13.5*	il dente	*ieldentee*
kiespijn *13.5*	il mal di dente	*ielmaal diedentee*
kiezen	scegliere	*sjeljeeree*
kijken	guardare	*ĝwaardaaree*
kilo *10.2*	chilo	*kieloo*
kilometer	chilometro	*kieloomeetroo*
kilometerteller *5.4*	il contachilometri	*ielkoontaakieloomeetrie*
kin	mento	*meentoo*
kind (eigen) *3.1*	figlio	*fieljoo*
kind *11.1, 14*	bambino	*baambienoo*
kinderbedje *7.3*	lettino per il bambino	*lettienoo peer iel baambienoo*
kinderstoel *4.1*	il seggiolone	*ielsedzjooloonee*
kinderwagen *7.3*	carrozzina	*kaarootsienaa*
kiosk *10*	edicola	*eediekoolaa*
kip	pollo	*pòlloo*
klaar *5.6*	pronto	*proontoo*
klacht (pijn) *13.2*	disturbo	*distoerboo*
klacht *5.2, 7.4*	reclamo	*reeklaamoo*
klachtenboek *4.4*	libro reclami	*liebroo reeklaamie*
klassiek concert	concerto di musica classica	*koontsjertoo die moeziekaa klàasiekaa*
kleding *10.3*	abbigliamento	*aabieljaamentoo*
kledingstuk *10.3*	capo di vestiario	*kaapoo die vestieaarieoo*
kleerhanger *7.3*	ometto	*oomèttoo*
klein *10.1*	piccolo	*piekooloo*
kleingeld *8.1*	le monete	*leemooneetee*
kleinkind *3.1*	il/la nipote	*iel/laa niepootee*
kleren *10.3*	i vestiti	*ievestietie*
kleur	il colore	*ielkoolooree*
kleurboek	album (m) da colorare	*aalboem daa kooloor-aaree*

K

kleuren-tv 7.3	il televisore a colori	*ielteeleeviezooree aakooloorie*
kleurpotloden	le matite colorate	*leemaatietee kooloor- aatee*
klontjes (suiker) 4.2, 10.2	(lo zucchero in) zollette	*(lodzòekeeroo ien) dzollèttee*
klooster 11.1	monastero	*moonaasteeroo*
kluis (in hotel) 7.2	cassetta di sicurezza	*kaasèetaa die siekoe- rèetsaa*
kluis (bagage) 5.2	armadietto	*aarmaadie-èttoo*
kneuzen 13.3	acciaccare	*aatsjaakaaree*
knie 13.2	ginocchio	*dzjienòkkjoo*
kniekousen 10.3	i calzettoni	*iekaaltsettoonie*
knippen 10.5	tagliare	*taaljaaree*
knoop (aan jas)	il bottone	*ielbootoonee*
knop(je) 3.2, 5.8	il bottone	*ielbootoonee*
knuffelbeest	il pelouche	*ielpeeloesj*
koekepan 7.3, 10.1	padella	*paadèllaa*
koekjes	i biscotti	*iebieskòttie*
koelkast 7.4	frigorifero	*frieǧooriefeeroo*
koers (geld) 8.1	cambio	*kaambjoo*
koffer 5.1, 5.2	valigia	*vaaliedzjaa*
koffie 4.7	il caffè	*ielkaafè*
koffiefilter	filtro del caffè #	*fieltroo deelkaafè*
koffiemelk	il latte per il caffè #	*iel làatee peer ielkaafè*
kok 4.5	cuoco	*kwookoo*
koken (bereiden) 3.8	cucinare	*koetsjienaaree*
koken (water)	bollire	*bollieree*
komen 3.1	venire	*veenieree*
komkommer	cetriolo	*tsjeetrieooloo*
koning	il re	*ielree*
koningin	regina	*reedzjienaa*
kool	cavolo	*kaavooloo*
koorts 13.2	la febbre	*laafèbbree*
kopen 11.1	comprare	*koompraaree*
koper (metaal)	il rame	*ielraamee*
kopie 9.1	copia	*koopjaa*
kopieerapparaat 9.1	la copiatrice	*laakoopjaatrietsjee*
kopje 4.2	tazza	*tàatsaa*
kort (afmetingen) 10.5	corto	*koortoo*
kort (duur)	breve	*breevee*
korting 10.1	lo sconto	*loskoontoo*
kortsluiting 7.3	cortocircuito	*koortootsjierkoe-ietoo*
kostbaar 14.2	prezioso	*preetsieoozoo*

kostuum *10.3*	completo	*kompleetoo*
kotelet *4.6, 10.2*	costoletta	*kostoolèttaa*
kotszakje *6.5*	busta per vomitare	*boestaa per voomietaaree*
koud *1.5, 4.4*	freddo	*frèedoo*
kousen *10.3*	le calze	*leekaaltsee*
kraan *7.4*	rubinetto	*roebienèttoo*
kraanwater *7.2*	acqua del rubinetto	*àakwaa deel roebienèttoo*
krab *4.6*	granchio	*ĝraangkjoo*
kreeft *4.6*	gambero	*ĝaambeeroo*
krampen in buik *13.2*	i crampi nella pancia	*iekraampie nèelaa paantsjaa*
krampen in spieren	i crampi nei muscoli	*iekraampie neej moeskoolie*
krant	il giornale	*ieldzjoornaalee*
kreeft *4.6*	gambero	*ĝaambeeroo*
krik *5.6*	cricco	*kriekoo*
kropsla *4.6, 10.2*	lattuga	*laatoeĝaa*
kruiden *4.2*	le spezie	*leespeetsie-ee*
kruidenier *10*	alimentari (m)	*aaliementaarie*
kruidenthee *4.7*	infuso	*ienfoezoo*
kruier *5.2*	facchino	*faakienoo*
kruik	borsa d'acqua calda	*boorsaa dàakwaa kaaldaa*
kruispunt	incrocio	*ienkrootsjoo*
krullend *14.5*	riccio	*rietsjoo*
kubieke meter	metro cubo	*meetroo koeboo*
kunst *10.1, 11.1*	arte (v)	*aartee*
kunstgebit *13.5*	dentiera	*dentjeeraa*
kunstmatige ademhaling *14.3*	la respirazione artificiale	*laarespieraatsieoonee aartiefietsjaalee*
kunstnijverheid	artigianato	*aartiedzjaanaatoo*
kurketrekker *10.1*	il cavatappi	*ielkaavaatàapie*
kus *3.9*	bacio	*baatsjoo*
kussen (ww) *3.9*	baciare	*baatsjaaree*
kussen (het) *7.3, 7.4*	il guanciale	*ielĝwaantsjaalee*
kussensloop *7.4*	federa	*feedeeraa*
kussentje	cuscino	*koesjienoo*
kuur *13.4*	cura	*koeraa*
kwal *12.2, 13.2*	medusa	*meedoezaa*
kwalijk, neemt u mij niet *2.5*	mi scusi	*mieskoezie*
kwart *1.4*	quarto	*kwaartoo*
kwartier *1.3*	quarto d'ora	*kwaartoo dooraa*

K

kwijt zijn *14.6*	aver perso	*aaveer persoo*
kwitantie *5.6, 8.2*	ricevuta	*rietsjeevoetaa*

L

laag *10.3*	basso	*bàasoo*
laat *1.3*	tardi	*taardie*
laatste *6.4*	ultimo	*oeltiemoo*
lachen *3.9*	ridere	*riedeeree*
laken *7.3*	lenzuolo	*leentswooloo*
lamp *7.4*	lampada	*laampaadaa*
land	il paese	*ielpaaeezee*
landen *6.5*	atterrare	*aaterraaree*
landkaart *5.0*	carta geografica	*kaartaa dzjeeooĝraaf-iekaa*
landnummer *9.2*	prefisso	*preefiesoo*
lang *10.5*	lungo	*loengĝoo*
langlaufen *12.3*	fare dello sci di fondo	*faaree deellosjie diefoondoo*
langlaufloipe *12.3*	pista di fondo	*piestaa diefoondoo*
langzaam *6.7*	lento	*lentoo*
last hebben van *13.2*	soffrire di	*soffrieree die*
lawaai *7.4*	il rumore	*ielroemooree*
lawine *12.3*	valanga	*vaalaangĝaa*
laxeermiddel *13.4*	lassativo	*laasaatievoo*
lederwaren *10.1*	pelletteria	*pelleeteerieaa*
leeftijd *11.2*	età	*eetaa*
leeg	vuoto	*vwootoo*
leer (kleding) *10.3*	la pelle	*laapèllee*
leer (schoenen) *10.3*	cuoio	*kwoojoo*
leidingwater *7.2*	acqua del rubinetto	*àakwaa deel roebienèt-too*
lek (van band) *5.6*	bucato	*boekaatoo*
lekker *4.5*	buono	*bwoonoo*
lelijk *11.1*	brutto	*bròetoo*
lenen (aan)	prestare	*prestaaree*
lenen (van) *14.6*	prendere in prestito	*prendeeree ienprestietoo*
lens (voor fototoestel) *10.4*	obiettivo	*oobjettievoo*
lens (contact-) *10.4*	la lente a contatto	*laa lentee aakontàatoo*
lente *1.1*	primavera	*priemaaveeraa*
lepel *4.2*	cucchiaio	*koekjaajoo*
les *12.1*	la lezione	*laaleetsieoonee*
leuk vinden *3.1*	piacere	*pjaatsjeeree*

leuk 2.6, 3.8, 10.1	piacevole/bello	*pjaatsjeevoolee/bèlloo*
levensmiddelen 10.2	gli alimentari	*ljieaaliementaarie*
lezen 3.5	leggere	*lèdzjeeree*
lichaam	corpo	*koorpoo*
licht (tabak)	leggero	*ledzjeeroo*
licht (niet donker)	chiaro	*kjaaroo*
licht (niet zwaar)	leggero	*ledzjeeroo*
lid zijn 11.2	essere socio	*èsseeree sootsjoo*
lief 3.8	dolce	*dooltsjee*
liefde 3.9	amore (m)	*aamooree*
liegen	mentire	*mentieree*
liever hebben	preferire	*preefeerieree*
lift (stoeltjes-) 12.3	seggiovia	*sedzjoovieaa*
lift (met auto) 5.9	passaggio	*paasàadzjoo*
lift (in gebouw) 7.3	ascensore (m)	*aasjeensooree*
liften 5.9	fare l'autostop	*faaree lautoostop*
liggen 13.3	essere sdraiato	*èsseeree zdraajaatoo*
ligstoel 12.2	sedia a sdraio	*seedieaa aazdraajoo*
lijm	colla	*kòllaa*
lijn	linea	*lieneeaa*
limonade 4.6, 10.2	bibita	*biebietaa*
links 1.6	sinistra	*sieniestraa*
linksaf 5.0	a sinistra	*aasieniestraa*
linnen 10.3	lino	*lienoo*
linzen 4.6, 10.2	le lenticchie	*leelentiekjee*
lippenstift	rossetto	*rossèttoo*
liter 5.5	litro	*lietroo*
literatuur	letteratura	*letteeraatoeraa*
loge 11.3	palco	*paalkoo*
logeren 3.1	essere alloggiato	*èsseeree aaloodzjaatoo*
loket 9.1	lo sportello	*losportèlloo*
longen 13.2	i polmoni	*iepolmoonie*
loodvrij 5.5	senza piombo	*sentsaa pjoomboo*
loopski's 12.3	gli sci da fondo	*ljiesjie daafoondoo*
lopen 3.7	fare due passi	*faaree doe-ee pàasie*
lotion 10.5	la lozione	*laalootsieoonee*
LPG 5.5	il gas	*ielgaas*
luchthaven 6.5	aeroporto	*aaeerooportoo*
luchtpost (per –) 9.1	via aerea	*vieaa aaeereeaa*
lucifers 4.2	i fiammiferi/i cerini	*iefjaamiefeerie/ietsjee-rienie*
luier	pannolino	*paanoolienoo*
luisteren	ascoltare	*aaskooltaaree*
lukken 2.6	riuscire	*rieoesjieree*

lunch 7.3, 13.4	pranzo	*praantsoo*
lunchpakket 7.3	la colazione al sacco	*laakoolaatsieoonee aalsàakoo*
lusten 2.6	piacere	*pjaatsjeeree*

M

maag 13.2	lo stomaco	*lostoomaakoo*
maag- en darmstoornis 13.2	disturbo gastrico e intestinale	*diestoerboo ĝaastriekoo ee ientestienaalee*
maagpijn 13.2	il mal di stomaco	*ielmaal diestoomaakoo*
maal (keer) 13.4	volta	*voltaa*
maaltijd 13.4	pasto	*paastoo*
maand 1.1	il mese	*ielmeezee*
maandag 1.1	il lunedì	*iel loeneedie*
maandverband	gli assorbenti	*ljieaasorbentie*
maart 1.1	marzo	*maartsoo*
maat (schoenen) 10.3	misura	*miezoeraa*
maat (kleding) 10.3	taglia	*taaljaa*
macaroni	i maccheroni	*iemaakeeroonie*
mager	magro	*maaĝroo*
maillot 10.3	calzamaglia	*kaaltsaamaaljaa*
maïs 4.6, 10.2	granturco	*ĝraantoerkoo*
maïzena 10.2	fecola di mais	*feekoolaa diemaajs*
maken (foto) 3.2	fare	*faaree*
mals 4.2	tenero	*teeneeroo*
man (echtgenoot) 3.1	marito	*maarietoo*
man	uomo	*woomoo*
mandarijn	mandarino	*maandaarienoo*
manege	maneggio	*maanèedzjoo*
margarine	margarina	*maarĝaarienaa*
markt 10	mercato	*merkaatoo*
marmer	marmo	*maarmoo*
massage 10.5	massaggio	*maasàadzjoo*
mat (foto) 10.4	opaco	*oopaakoo*
maximumsnelheid 5.3	velocità massima	*veelootsjietaa màasiemaa*
mayonaise 4.2, 10.2	la maionese	*laamaajooneezee*
medicijn 13.3, 13.4	medicamento	*meediekaamentoo*
meel 10.2	farina	*faarienaa*
meer (het)	lago	*laaĝoo*
meestal 3.1	il più delle volte	*ielpjoe dèelee voltee*
mei 1.1	maggio	*màadzjoo*
meisje 3.8	ragazza	*raaĝàatsaa*

melk 4.7	il latte	*iel làatee*
meloen	il melone	*ielmeeloonee*
meneer 2.1	il signore	*ielsienjooree*
menstruatie 13.3	la mestruazione	*laamestroeaatsieoonee*
menu 4.1	il menù	*iel meenoe*
mes 4.2	coltello	*koltèlloo*
metaal	metallo	*meetàaloo*
meter (100 cm)	metro	*meetroo*
meter (in taxi) 6.7	tassametro	*taasaameetroo*
metro 6.1	il metrò	*ielmeetroo*
metronet 6.4	la rete del metrò	*laareetee deelmeetro*
metrostation 6.1	la stazione del metrò	*staatsieoonee deelmeetro*
mevrouw 2.1	signora	*sienjooraa*
middags ('s) 1.1	il pomeriggio	*iel poomeerìedzjoo*
middel (manier)	modo	*moodoo*
midden (in het -)	al centro	*aal tsjentroo*
mier 7.4	formica	*foormiekaa*
migraine 13.2	emicrania	*eemiekraanieaa*
millimeter	millimetro	*mieliemeetroo*
minder	meno	*meenoo*
mineraalwater 4.7	acqua minerale	*àakwaa mieneeraalee*
minuut 1.3	minuto	*mienoetoo*
mis (zn)	messa	*mèssaa*
misschien 2.3, 3.7	forse	*foorsee*
misselijk zijn 13.2	avere la nausea	*aaveeree laanauzeeaa*
missen 3.9	mancare	*maangkaaree*
mist 3.4	nebbia	*nèebjaa*
misten 1.5	far nebbia	*faarnèebjaa*
misverstand 14.6	malinteso	*maalienteezoo*
mode 10.1	moda	*moodaa*
moeder 3.1	la madre	*laamaadree*
moeilijkheid 14	difficoltà/il problema	*diefiekoltaa/ielproob-leemaa*
moeras	la palude	*laapaaloedee*
moersleutel 5.6	la chiave per bulloni	*laakjaavee perboeloonie*
mokka	caffè	*kaafe*
molen	mulino	*moelienoo*
moment 9.2	momento	*moomentoo*
mond 13.3	bocca	*bòokaa*
montuur	montatura	*moontaatoeraa*
mooi 1.5, 2.6, 3.8	bello	*bèlloo*
morgen 1.1, 2.1, 3.1, 3.9	domani	*doomaanie*
morgens ('s) 1.1	la mattina	*laamaatienaa*

morning-after-pil _13.2_	pillola del giorno dopo	_pieloolaa deeldzjoornoo doopoo_
mosselen _4.6, 10.2_	le cozze	_leekotsee_
mosterd _4.2, 10.2_	la senape	_laaseenaapee_
motel _7.3_	il motel	_ielmootel_
motorboot _12.2_	motoscafo	_mootooskaafoo_
motorcrossen	fare il motocross	_faaree iel mootookros_
motorfiets _5_	la moto(cicletta)	_laamootoo(tsjieklèetaa)_
motorkap _5.4_	cofano	_koofaanoo_
motorpech _5.6_	panne	_pàanee_
mug _7.4_	zanzara	_dzaandzaaraa_
muggenolie	olio contro le zanzare	_oolieoo koontroo leedzaandzaaree_
muis _7.4_	topo	_toopoo_
museum _11.1_	museo	_moezeeoo_
musical _11.2_	il musical	_ielmjoeziekol_
muts _10.3_	berretto	_berrèttoo_
muziek _3.5_	musica	_moeziekaa_

N

na	dopo	_doopoo_
naaigaren _10.1_	filo da cucire	_fieloo daakoetsjieree_
naakt _12.2_	nudo	_noedoo_
naaktstrand _12.2_	spiaggia per nudisti	_spjàadzjaa peernoediestie_
naald _3.5_	ago	_aaĝoo_
naam (voornaam) _1.8_	il nome	_ielnoomee_
naam (achternaam) _1.8_	il cognome	_ielkoonjoomee_
naast _1.6_	accanto a	_aakaantoo aa_
nacht _7.1_	la notte	_laanòttee_
nachtclub _11.2_	il night	_ielnaajt_
nachtdienst _13.1_	servizio notturno	_servietsieoo nottoernoo_
nachtleven _11.2_	vita notturna	_vietaa nottoernaa_
nagel	unghia	_oengĝjaa_
nagellak	lo smalto per le unghie	_lozmaaltoo peer lee oengĝjee_
nagelschaartje	forbicina per le unghie	_foorbietsjienaa peer lee oengĝjee_
nagelvijl	limetta per le unghie	_liemèttaa peer lee oengĝjee_
nat _3.4_	umido	_oemiedoo_
nationaliteit _1.8_	nazionalità	_naatsieoonaalietaa_
naturisme _12.2_	naturismo	_naatoeriezmoo_

natuur *11.1*	natura	*naatoeraa*
natuurlijk *2.3*	naturalmente	*naatoeraalmentee*
nectarine	la pescanoce	*laapeskaanootsjee*
Nederland *1.8, 8.1*	Olanda	*oolaandaa*
Nederlander/-se *3.1*	olandese (m/v)	*oolandeezee*
nee *2.3*	no	*no*
neef	cugino	*koedzjienoo*
neefje	il nipote	*ielniepootee*
negatief (foto) *10.4*	negativa	*neegaatievaa*
nek *13.2*	collo	*kòlloo*
nergens *1.6*	da nessuna parte	*daa nessoenaa paartee*
neus *13.2*	naso	*naazoo*
neusdruppels	le gocce per il naso	*leegòotsjee per ielnaaz-oo*
nicht	cugina	*koedzjienaa*
nichtje	la nipote	*laaniepootee*
niemand *2.3*	nessuno	*nessoenoo*
niets *2.3*	niente	*njentee*
nieuw	nuovo	*nwoovoo*
nieuws	le notizie	*leenootietsie-ee*
nodig	necessario	*neetsjessaarieoo*
non-stop *6.1*	senza scalo	*sentsaa skaaloo*
noodrem *6.6*	freno d'emergenza	*freenoo deemerdzjentsaa*
nooduitgang *7.3, 14.1*	uscita di sicurezza	*oesjietaa die siekoerèetsaa*
noodvulling *13.5*	otturazione (v) provvisoria	*ootoeraatsieoonee prooviezoorieaa*
noodzakelijk *3.1*	necessario	*neetsjessaarieoo*
nooit	mai	*maaj*
noord *1.6*	nord	*nord*
nootmuskaat *10.2*	nocemoscata	*nootsjeemoskaataa*
norit *10.1*	medicina astringente	*meedietsjienaa aastriendzjentee*
normaal *5.5*	normale	*normaalee*
noten (gemengd) *4.7*	le noci	*leenootsjie*
november *1.1*	novembre	*noovembree*
nummer *9.2*	numero	*noemeeroo*
nummerbord *5.4*	targa	*taargaa*

O

ober *4.2*	il cameriere	*ielkaameerie-eeree*
ochtendjas *10.3*	vestaglia	*vestaaljaa*

oesters *4.6*	le ostriche	*leeostriekee*
oever	riva	*rievaa*
ogenblik *2.3, 6.7*	attimo	*àatiemoo*
oktober *1.1*	ottobre	*ottoobree*
olie *5.5, 10.2*	olio	*oolieoo*
olie verversen *5.6*	cambiare l'olio	*kaambjaaree loolieoo*
oliepeil *5.5*	livello dell'olio	*lievèllo deeloolieoo*
olijfolie *4.2, 10.2*	olio d'oliva	*oolieoo doolievaa*
olijven *4.6, 10.2*	le olive	*leeoolievee*
oma *3.1, 14.5*	nonna	*nònnaa*
omgeving *11.1*	i dintorni	*iedientoornie*
onbeleefd *4.4*	scortese	*skoorteezee*
onder *1.6, 6.3*	giù/sotto	*dzjoe/sòotoo*
onderbroek *10.3*	le mutande	*leemoetaandee*
onderdeel *5.6*	pezzo di ricambio	*pètsoo die riekaambjoo*
ondergoed *10.3*	biancheria personale	*bjaangkeerieaa peer-soonaalee*
onderjurk *10.3*	la sottoveste	*laasootoovestee*
ondertekenen *7, 8.1*	firmare	*fiermaaree*
ondertiteld *11.2*	sottotitolato	*sootootietoolaatoo*
onderweg *5.0*	per strada	*peerstraadaa*
onderzoeken (medisch) *13.3*	visitare	*viezietaaree*
ondiep *12.2*	poco profondo	*pookoo proofoondoo*
ongedierte *7.4*	gli animali nocivi	*ljieaaniemaalie noots-jievie*
ongelijk (niet vlak) *7.2*	ineguale	*ieneeĝwaalee*
ongeluk *14.1*	incidente (m)	*ientsjiedentee*
ongerust *14.5*	preoccupato	*preeokkoepaatoo*
ongesteld (zijn) *13.3*	avere le mestruazioni	*aaveeree lee mestroe-aatsieoonie*
ongetrouwd *1.8*	celibe	*tsjeeliebee*
ongeveer	più o meno	*pjoe oomeenoo*
onkosten	le spese	*leespeezee*
onmiddellijk *14.1*	subito	*soebietoo*
onmogelijk *2.3*	impossibile	*iempossiebielee*
ons (100 g) *10.2*	etto	*èttoo*
onschuldig *14.6*	innocente	*ienootsjentee*
ontbijt *7.3, 13.4*	la (prima) colazione	*laa(priemaa) kool-aatsieoonee*
ontbreken *4.4, 5.2*	mancare	*maangkaaree*
ontlasting *13.3*	le feci	*leefeetsjie*
ontmoeten (tegenkomen)	incontrare	*ienkoontraaree*

ontmoeten (leren ken-nen)	conoscere	*koonoosjeeree*
ontruimen 7.5	lasciare	*laasjaaree*
ontsmettingsmiddel 13.4	il disinfettante	*ieldiezienfettaantee*
ontsteking 13.3	infiammazione (v)	*ienfjaamaatsieoonee*
ontwikkelen 10.4	sviluppare	*zvieloepaaree*
ontzettend 2.6, 7.4	terribilmente	*terriebielmentee*
onweer 1.5	il temporale	*ieltempooraalee*
onzin 2.6	le sciocchezze	*leesjokkètsee*
oog 3.9	occhio	*òkjoo*
oogarts 13	oculista (m)	*ookoeliestaa*
oogdruppels	le gocce per gli occhi	*leegòotsjee per ljie òkkie*
oor	orecchio	*oorèekjoo*
oorarts 13	otoiatra (m)	*ootoojaatraa*
oorbellen 10.1	gli orecchini	*ljieoorekkienie*
oordruppels 13.4	le gocce per gli orecchi	*leegòtsjee per ljie oorèkkie*
oorpijn 13.2	il mal d'orecchio	*ielmaal doorèkjoo*
oost 1.6	est	*est*
op 1.6	su/sopra	*soe/soopraa*
opa 3.1, 14.5	nonno	*nònnoo*
opbellen 3.11, 9.2	telefonare/chiamare	*teeleefoonaaree/kjaam-aaree*
open 11.1	aperto	*aapèrtoo*
openen 5.1	aprire	*aaprieree*
opera 11.2	opera	*oopeeraa*
opereren 13.3	operare	*oopeeraaree*
operette 11.2	operetta	*oopeerèttaa*
opgravingen 11.1	gli scavi	*ljieskaavie*
ophalen 3.10, 11.3	andare/venire a prendere	*aandaaree/veenieree aaprendeeree*
oplichting 14.6	truffa	*trôefaa*
opnieuw	di nuovo	*dienwoovoo*
oponthoud 6.4	ritardo	*rietaardoo*
oprit 5.9	corsia di accelerazione	*koorsieaa die aatsjee-leeraatsieoonee*
opruimen	rimettere in ordine	*riemèetteeree ienoordie-nee*
opruiming 10.1	svendita	*sveendietaa*
opschrijven	scrivere	*skrieveeree*
optelling 4.4	conto	*koontoo*
opticien 10	ottico	*òttiekoo*
opzoeken	cercare	*tsjeerkaaree*
oranje	arancione	*aaraantsjoonee*

o

orkaan *1.5*	uragano	*oeraaĝaanoo*
oud *3.1*	vecchio	*vèkjoo*
oude stad *11.1*	centro storico	*tsjentroo stooriekoo*
ouders *3.1*	i genitori	*iedzjeenietoorie*
overal *1.6*	dappertutto	*daapeertòetoo*
overdag	di giorno	*diedzjoornoo*
overgeven *13.2*	vomitare	*voomietaaree*
overhemd *10.3*	camicia	*kaamietsjaa*
overkant	lato opposto	*laatoo oopoostoo*
overmorgen *1.1*	dopodomani	*doopoodoomaanie*
overstappen *6.1, 6.4*	cambiare	*kaambjaaree*
oversteken	attraversare	*aatraaversaaree*
overstroming *14.3*	inondazione (v)	*ienoondaatsieoonee*
overtocht	traversata	*traaversaataa*
overval *14.6*	colpo di mano	*koolpoo diemaanoo*

P

paard	cavallo	*kaavàaloo*
paardrijden	andare a cavallo	*aandaaree aakaav-àaloo*
paars	viola	*vjoolaa*
paddestoelen *4.6, 10.2*	i funghi	*iefoengĝie*
pak *10.3*	abito/completo	*aabietoo/kompleetoo*
pak(ket)je *9.1, 10.2*	pacchetto	*paakèetoo*
paleis *11.1*	palazzo	*paalàatsoo*
paling *4.6*	anguilla	*aangĝwielaa*
pan (om te bakken) *7.3, 10.1*	padella	*paadèllaa*
pan (om te koken) *7.3, 10.1*	pentola	*pentoolaa*
pannekoek (flensje) *4.6*	la crèpe	*laakrep*
panty *10.3*	il collant	*ielkoolAn*
papier	carta	*kaartaa*
papieren zakdoekjes	i fazzoletti di carta	*iefaatsoolèttie diekaar-taa*
paprika	il peperone	*ielpeepeeroonee*
paraplu	ombrello	*ombrèlloo*
parasol	ombrellone (m)	*ombrelloonee*
parfum *10.1*	profumo	*proofoemoo*
park	parco	*paarkoo*
parkeergarage	parcheggio a pagamento	*paarkèedzjoo aapaaĝaamentoo*
parkeerplaats	parcheggio	*paarkèedzjoo*

parkeren 7.2	parcheggiare	*paarkeedjzaaree*
parlementsgebouw	palazzo deel parlamento	*paalàatsoo del paarlaamentoo*
partner 3.1	partner	*paartner*
pasfoto 12.3	la foto da tessera	*laafootoo daatèsseeraa*
paskamer 10.3	cabina di prova	*kaabienaa dieproovaa*
paspoort 1.8, 5.1, 8.1	passaporto	*paasaaportoo*
passagier 6.1	passeggero	*paasedzjeeroo*
passen (kleding) 10.3	provare	*proovaaree*
patat-frites 4.6	le patate fritte	*leepaataatee frìetee*
patiënt 13.2	il/la paziente	*iel/laapaatsie-entee*
pauze 11.2	intervallo	*ientervàaloo*
pech (met auto) 5.6	panne	*pàanee*
pedaal 5.4	il pedale	*ielpeedaalee*
pedicure 10.5	il pedicure	*ielpeediekoeree*
peer	pera	*peeraa*
pen	penna	*pènaa*
penis 13.2	il pene	*ielpeenee*
pensioen 3.1	la pensione	*laapensieoonee*
pension 7.3	la pensione	*laapensieoonee*
peper 4.2, 10.2	il pepe	*ielpeepee*
permanenten 10.5	fare la permanente	*faaree laa peermaanentee*
perron 6.6	binario	*bienaarieoo*
persoon 4.1, 7.2	persona	*persoonaa*
persoonlijk 5.1	personale	*persoonaalee*
perzik	pesca	*peskaa*
peterselie	prezzemolo	*pretseemooloo*
petroleum 7.2	petrolio	*peetroolieoo*
picknick	il picnic	*ielpiekniek*
pier	molo	*mooloo*
pijl 5.0	freccia	*frèetsjaa*
pijn 13.2, 13.5	il dolore/il male	*ieldoolooree/ielmaalee*
pijnstiller 13.4	analgesico	*aanaaldzjeeziekoo*
pijp 10.1	pipa	*piepaa*
pijptabak	tabacco da pipa	*taabàakoo daapiepaa*
pikant 4.2	piccante	*piekaantee*
pil (anticonceptie-) 13.3	pillola (anticoncezionale)	*pìeloolaa (aantiekoontsjeetsieoonaalee)*
pincet	pinzetta	*pientsèetaa*
pinda's 10.2	le nocciole	*leenootsjoolienee*
plaats (plek) 7.2	posto/luogo	*poostoo/lwooĝoo*
plaats (zit-) 4.1, 6.1	posto (da sedere)	*poostoo daaseedeeree*
plaatselijk 13.6	locale	*lookaalee*

plaatskaarten *11.2*	i biglietti	*iebieljèetie*
plakband	nastro adesivo	*naastroo aadeezievoo*
plakken (band) *5.6*	aggiustare	*aadzjoestaaree*
plan *3.7*	il programma	*ielprooĝràamaa*
plant	pianta	*pjaantaa*
plastic	plastica	*plaastiekaa*
plattegrond *11.1*	pianta	*pjaantaa*
platteland	campagna	*kaampaanjaa*
plein	piazza	*pjàatsaa*
pleisters	i cerotti	*ietsjeeròttie*
plezier *2.1*	divertimento	*dievertiementoo*
poedermelk *10.2*	il latte in polvere	*iel làatee ienpoolveeree*
poes	gatto	*ĝàatoo*
politie *14.1*	polizia	*poolietsieaa*
politiebureau *14.1*	questura	*kweestoeraa*
pols *13.2*	polso	*poolsoo*
pond *10.2*	mezzo chilo	*mèdzoo kieloo*
pont	traghetto	*traaĝèttoo*
pony (paard)	il pony	*iel poonie*
pony (kapsel) *10.5*	frangetta	*fraandzjèetaa*
pop	bambola	*baamboolaa*
port (wijn) *4.2, 10.2*	(vino di) porto	*(vienoo die) portoo*
portefeuille *14.2*	il portafoglio	*ielportaafooljoo*
portemonnee *14.2*	il portamonete	*ielportaamooneetee*
portie *4.2*	la porzione	*laaportsieoonee*
portier (man) *7.3*	portinaio	*portienaajoo*
porto *9.1*	porto	*portoo*
post (PTT) *9.1*	posta	*postaa*
postbode *9.1*	postino	*postienoo*
postcode *1.8*	il codice postale	*ielkoodietsjee postaalee*
postkantoor *9.1*	ufficio postale	*oefietsjoo postaalee*
postpakket *9.1*	pacco postale	*pàakoo postaalee*
postpapier	carta da lettere	*kaartaa daalètteeree*
postzegel *9.1*	francobollo	*fraangkoobòoloo*
potlood	matita	*maatietaa*
praatpaal *5.6*	colonnina di soccorso	*kooloonienaa diesook-oorsoo*
prachtig *3.8*	splendido	*splendiedoo*
praten	parlare	*paarlaaree*
prei	porro	*pòrroo*
pretpark *11*	parco dei divertimenti	*paarkoo deej dievertie-mentie*
prijs *4.3, 8.2*	prezzo	*prètsoo*
prijslijst *4.3*	listino prezzi	*liestienoo prètsie*

probleem 3.9	il problema	*ielprobleemaa*
proces-verbaal 14.6	processo verbale	*prootsjèssoo verbaalee*
proeven 10.1	assaggiare	*aasaadzjaaree*
programma 11.1	il programma	*ielprooğràamaa*
proost 3.2, 4.2	cin cin	*tsjientsjien*
provisorisch 13.5	provvisorio	*prooviezoorieoo*
pruim	prugna	*proenjaa*
pudding 4.6	budino	*boedienoo*
puur 4.2	puro	*poeroo*
puzzel	il puzzle	*ielpaazel*
pyjama	il pigiama	*ielpiedzjaamaa*

R

raam (in trein enz) 6.3	finestrino	*fienestrienoo*
raam 4.1	finestra	*fienestraa*
radio 7.4	la radio	*laaraadieoo*
rauw 4.2	crudo	*kroedoo*
rauwkost 4.6	le verdure crude	*leeverdoeree kroedee*
recept 13.4	ricetta	*rietsjèttaa*
recht (jur)	diritto	*dierietoo*
rechtdoor 1.6	dritto	*drietoo*
rechthoek	rettangolo	*rettaangğooloo*
rechts 1.6	a destra	*aadestraa*
rechtsaf	a destra	*aadestraa*
rechtstreeks 6.4	diretto	*dierèttoo*
reçu 5.2	ricevuta	*rietsjeevoetaa*
reductie 11.1	lo sconto	*loskoontoo*
reformwinkel 10	erboristeria	*erbooriesteerieaa*
regen 3.4	pioggia	*pjòdzjaa*
regenen 1.5	piovere	*pjooveeree*
regenjas	impermeabile (m)	*iempermeeaabielee*
reis 2.1	viaggio	*vjàadzjoo*
reisbureau 6.4	agenzia viaggi	*aadzjentsieaa vjàadzjie*
reischeque 8.2	assegno turistico	*aaseenjoo toeriestiekoo*
reisgids	guida turistica	*ğwiedaa toeriestiekaa*
reisleider 6.4	accompagnatore (m) turistico	*aakoompaanjaatooree toeriestiekoo*
reizen 3.5, 13.3	viaggiare	*vjaadzjaaree*
reiziger 6.1	il viaggiatore	*ielvjaadzjaatooree*
rekening 4.3, 5.6, 8.2	conto	*koontoo*
rem 5.4	freno	*freenoo*
remolie 5.4	olio dei freni	*oolieoo deejfreenie*
remvloeistof 5.5	liquido dei freni	*liekwiedoo deejfreenie*

reparatie 5.6	la riparazione	*laariepaaraatsieoonee*
repareren 5.6, 10.3, 13.5	aggiustare	*aadzjoestaaree*
reserve 5.6	riserva	*riezervaa*
reserve-onderdelen 5.6	i pezzi di ricambio	*iepètsie dieriekaambjoo*
reserveband 5.6	ruota di scorta	*rwootaa dieskortaa*
reserveren	prenotare	*preenootaaree*
restaurant 4.1	il ristorante	*ielriestooraantee*
restauratiewagen 6.6	carrozza ristorante	*kaaròtsaa riestooraantee*
retour (kaartje) 6.3	andata e ritorno (m)	*aandaataa eerietoornoo*
reumatiek 13.3	reumatismo	*reumaatiezmoo*
richting 6.7	la direzione	*laadiereetsieoonee*
riem (kleding) 10.3	cintura	*tsjientoeraa*
rietje 4.2	cannuccia	*kaanòtsjaa*
rijbewijs 1.8, 5.8	la patente (di guida)	*laapaatentee (dieĝwiedaa)*
rijden (in auto) 3.7	guidare	*ĝwiedaaree*
rijp 10.2	maturo	*maatoeroo*
rijst	riso	*riezoo*
rijstrook 5.3	corsia	*koorsieaa*
rijweg 5.3	carreggiata	*kaareedzjaataa*
risico 3.9	rischio	*rieskjoo*
rits	la chiusura lampo	*laakjoezoeraa laampoo*
rivier	il fiume	*ielfjoemee*
rode wijn 4.2, 10.2	vino rosso	*vienoo ròssoo*
roeiboot 12.2	barca a remi	*baarkaa aareemie*
rok 10.3	gonna	*ĝònnaa*
roken 3.6, 6.3	fumare	*foemaaree*
rolletje (foto-) 10.4	rullino	*roellienoo*
rolstoel 11.1	sedia a rotelle	*seedieaa aarootèllee*
rommelmarkt 10	mercato degli stracci	*merkaatoo deeljie stràatsjie*
rondleiding 11.1	visita guidata	*viezietaa ĝwiedaataa*
rondrit 11.1	giro della città	*dzjieroo dèelaa tsjietaa*
rondvaartboot 11.1	battello	*baatèlloo*
rood	rosso	*ròssoo*
rook	fumo	*foemoo*
room	panna	*pàanaa*
roomservice 7.3	servizio in camera	*servietsieoo iengkaameeraa*
roos 10.5	rosa	*roozaa*
rosé 4.2, 10.2	rosato	*roozaatoo*

rots *12.2*	roccia	*ròtsjaa*
route	itinerario	*ietieneeraarieoo*
rozijnen	uva secca	*oevaa sèekaa*
rubber	gomma	*ĝòomaa*
rug *13.2*	schiena	*skjeenaa*
rugzak *5.1, 5.2*	lo zaino	*lodzaajnoo*
ruilen *10.1*	cambiare	*kaambjaaree*
ruïnes *11.1*	le rovine	*leeroovienee*
ruit *5.5*	vetro	*veetroo*
rundvlees	manzo/la carne bovina	*maandzoo/laakaarnee boovienaa*
rustig *7.2, 12.2*	tranquillo	*traangkwìeloo*

S

saai *2.6*	noioso	*noojoozoo*
salade *4.6*	insalata	*iensaalaataa*
salami	il salame	*ielsaalaamee*
samen *3.7*	insieme	*iensie-eemee*
samenwonen *3.1*	vivere insieme	*vieveeree iensie-eemee*
sap *4.2, 10.2*	succo	*sòekoo*
sardines	le sardine	*leesaardienee*
saus *4.6*	sugo	*soeĝoo*
schaar *10.1*	le forbici	*leefoorbietsjie*
schaatsen	pattinare	*paatienaaree*
schaduw *7.2*	ombra	*oombraa*
schakelaar	interruttore (m)	*ienteeroetooree*
schaken *3.7*	giocare a scacchi	*dzjookaaree aaskàakie*
scheerapparaat	rasoio	*raazoojoo*
scheercrème	crema per barba	*kreemaa peerbaarbaa*
scheerkwast	pennello da barba	*peenèeloo daabaarbaa*
scheermesjes	le lamette	*leelaamèetee*
scheerzeep	il sapone da barba	*ielsaapoonee daab-aarbaa*
scheren *10.5*	farsi la barba	*faarsie laabaarbaa*
schilderij *11.1*	quadro	*kwaadroo*
schilderkunst *11.1*	pittura	*pietoeraa*
schoen *10.3*	scarpa	*skaarpaa*
schoenenwinkel *10*	calzature (v)	*kaaltsaatoeree*
schoenmaker *10.3*	calzolaio	*kaaltsoolaajoo*
schoensmeer *10.3*	lucido da scarpe	*loetsjiedoo daaskaarpee*
school *3.1*	scuola	*skwoolaa*
schoon *4.4*	pulito	*poelietoo*

R
S

schoonheidssalon *10*	istituto di bellezza	*iestietoetoo die beelèet-saa*
schoonmaken *7.4*	pulire	*poelieree*
schorpioen *13.2*	lo scorpione	*loskoorpjoonee*
schouder	spalla	*spàalaa*
schouwburg *11.2*	teatro	*teeaatroo*
schriftelijk *7.1*	per iscritto	*per ieskrietoo*
schrijven *3.11*	scrivere	*skrieveeree*
schroef *5.6, 10.1*	la vite	*laavietee*
schroevedraaier	il cacciavite	*ielkaatsjaavietee*
schuld *2.5*	colpa	*koolpaa*
scooter *5.8*	vespa	*vespaa*
september *1.1*	settembre	*settembree*
serveerster *4.1*	cameriera	*kaameerie-eeraa*
servet *4.2*	tovagliolo	*toovaaljooloo*
shag *3.6*	tabacco per sigarette	*taabàakoo per sieĝaar-èetee*
shampoo *10.5*	lo shampoo	*losjaampoo*
sherry *4.2, 10.2*	vino di Xeres	*vienoo diekseeres*
show *11.2*	lo show	*losjoow*
sieraden *10.1, 14.2, 14.4*	i gioielli	*iedzjoojèllie*
sigaar *3.6*	sigaro	*sieĝaaroo*
sigarenwinkel *10*	tabacchi (m)	*taabàakie*
sigaret *3.6, 5.1*	sigaretta	*sieĝaarèetaa*
sinaasappel	arancia	*aaraantsjaa*
sinaasappelsap *4.7*	spremuta (d'arancia)	*spreemoetaa (daar-aantsjaa)*
sjaal *10.3*	sciarpa	*sjaarpaa*
ski's *12.3*	paio di sci	*paajoo diesjie*
skibril *12.3*	gli occhiali da sci	*ljieokkjaalie daasjie*
skibroek *12.3*	i pantaloni da sci	*iepaantaaloonie daasjie*
skiën *12.3*	sciare	*sjieaaree*
skileraar *12.3*	maestro di sci	*maaestroo diesjie*
skiles, -klas *12.3*	la lezione di sci	*laaleetsieoonee diesjie*
skilift *12.3*	lo ski-lift	*loskielieft*
skipak *3.8*	completo da sci	*kompleetoo daasjie*
skipas *12.3*	tessera di sci	*tèsseeraa diesjie*
skipiste *12.3*	pista da sci	*piestaa daasjie*
skischoenen *12.3*	gli scarponi da sci	*ljieskaarpoonie daasjie*
skistok *12.3*	racchetta	*raakèttaa*
skiwas *12.3*	sciolina	*sjieoolienaa*
slaappillen *13.4*	i sonniferi	*iesooniefeerie*
slaapwagen *6.3*	la carrozza letto	*laakaaròtsaa lèttoo*
slagader *13.2, 14.3*	arteria	*aarteerieaa*

slager _10_	macellaio	_maatsjellaajoo_
slagroom (stijf)	panna montata	_pàanaa montaataa_
slagroom	panna	_pàanaa_
slang _13.2_	la serpe	_laaserpe_
slaolie _10.2_	olio di semi	_oolieoo dieseemie_
slapen _6.1, 7.4_	dormire	_dormieree_
slecht _1.5, 2.6, 9.2_	cattivo/male	_kaatievoo/maalee_
sleepkabel _5.6_	cavo di traino	_kaavoo dietraajnoo_
slepen _5.6_	trainare	_traajnaaree_
sleutel(tje) _5.6, 7.3_	la chiave	_laakjaavee_
slijter _10_	lo spaccio di alcolici	_lospàatsjoo die aalkool- ietsjie_
slipje _10.3_	lo slip	_lozliep_
slof (sigaretten)	stecca (di sigarette)	_stèekkaa die siegaar- èetee_
slot _7.4_	serratura	_serraatoeraa_
sluiter _10.4_	otturatore (m)	_ootoeraatooree_
sneeuw _1.5, 3.4_	la neve	_laaneevee_
sneeuwketting _5.6, 10.1_	catena da neve	_kaateenaa daaneevee_
snel _3.9, 4.2, 13.1_	presto	_prestoo_
sneltrein _6.6_	diretto	_dierèttoo_
snelweg _5.3_	autostrada	_autoostraadaa_
snijden _13.2_	tagliare	_taaljaaree_
snoep(goed)	le caramelle/i dolcini	_leekaaraamèllee/ iedooltsjienie_
snoepje	caramella	_kaaraamèllaa_
snorkel _12.2_	il respiratore	_ielrespieraatooree_
soep _4.6_	zuppa	_dzoepaa_
sokken _10.3_	i calzini	_iekaaltsienie_
soms _3.1_	talvolta	_taalvoltaa_
soort _4.2_	tipo	_tiepoo_
sorbet _4.6_	sorbetto	_sorbèetoo_
sorry _2.5_	scusami	_skoezaamie_
souvenir _5.1_	ricordo/il souvenir	_riekordoo/ielsoevnier_
spaghetti	gli spaghetti	_ljiespaagèttie_
specialist _13.3_	lo specialista	_lospeetsjaaliestaa_
specialiteit _4.2_	specialità	_speetsjaalietaa_
speelgoed	i giocattoli	_iedzjookàatoolie_
speelkaarten	le carte da gioco	_leekaartee daadzjookoo_
speeltuin _7.2, 11.1_	parco giochi	_paarkoo dzjookie_
speen (op fles)	tettarella	_teetaarèllaa_
speen (fop-)	succhiotto	_soekjòttoo_
spek (mager)	pancetta	_paantsjèttaa_
spek (vet)	lardo	_laardoo_

speld	lo spillo	*lospìeloo*
spelen 3.8, 11.2	giocare	*dzjookaaree*
spellen 1.9	fare lo spelling	*faaree lospellieng*
spelletje	gioco	*dzjookoo*
spiegel	lo specchio	*lospèkjoo*
spier verrekt hebben 13.3	avere uno strappo muscolare	*aaveeree oenoo stràapoo moeskoolaaree*
spier	muscolo	*moeskooloo*
spijker 10.1	chiodo	*kjoodoo*
splinter 13.2	scheggia	*skèedzjaa*
spoed 6.4, 9.2, 14.1	fretta	*frèetaa*
spoor (perron) 6.1	binario	*bienaarieoo*
spoorboekje 6.6	orario ferroviario	*ooraarieoo ferroov-jaarieoo*
spoorwegen 6.6	le ferrovie	*leeferroovie-ee*
spoorwegovergang	passaggio a livello	*paasaadzjoo aalievèlloo*
sport 12.1	lo sport	*losport*
sporten 3.5	fare dello sport	*faaree deelosport*
spreekuur 13.1	ora di visita	*ooraa dieviezietaa*
spreken 9.2	parlare	*paarlaaree*
spruitjes	i cavoletti di Bruxelles	*iekaavoolèttie die broesel*
spullen	roba	*roobaa*
squashen 12.1	giocare a squash	*dzjookaaree aaskwosj*
staal (roestvrij)	acciaio (inossidabile)	*aatsjaajoo (ienossie-daabielee)*
stad 3.1, 3.7, 9.2, 11.1	città	*tjietaa*
stadhuis	municipio	*moenietsjiepjoo*
stadion	lo stadio	*lostaadie-oo*
stadswandeling 11.1	itinerario turistico	*ietieneeraarieoo toeriestiekoo*
staking 6.1	lo sciopero	*losjoopeeroo*
standbeeld	statua	*staatoeaa*
stank 7.4	puzzo	*pòetsoo*
starten (aangaan) 5.6	accendersi	*aatsjendeersie*
starten (aanzetten) 5.6	mettere in moto	*mètteeree ienmootoo*
startkabel 5.6	cavetto del caricabat-teria	*kaavèttoo del kaar-iekaabaateerieaa*
station 6.1, 6.7	la stazione	*laastaatsieoonee*
steeksleutel 5.6	la chiave a tubo	*laakjaavee aatoeboo*
steil (haar) 14.5	liscio	*liesjoo*
steken (insekt) 13.2	pungere	*poendzjeeree*
stelen 14.4	rubare	*roebaaree*
stilte	silenzio	*sielentsieoo*

stinken 4.4, 7.4	puzzare	*poetsaaree*
stoel 4.1	sedia	*seedieaa*
stokbrood	filoncino	*fielontsjienoo*
stomen	lavare a secco	*laavaaree aasèekoo*
stomerij 10	lavanderia a secco	*laavaandeerieaa aasèekoo*
stopcontact 4.1, 7	presa di corrente	*preezaa diekoorentee*
stoppen 5.3, 5.9, 6.1	fermarsi	*feermaarsie*
stoptrein 6.6	il locale	*iel lookaalee*
storen 2.5	disturbare	*diestoerbaaree*
storing 7.4	disturbo	*diestoerboo*
storm 3.4	tempesta	*tempeestaa*
straat 1.8, 6.7	strada	*straadaa*
straatkant 7.3	lato della strada	*laatoo dèellaa straadaa*
straks 2.1, 3.7	più tardi	*pjoetaardie*
strand 3.7, 12.2	spiaggia	*spjàadzjaa*
strandstoel	sedia da spiaggia	*seedieaa daaspjàadzjaa*
streek (regio) 9.2	la regione	*laareedzjoonee*
strijkbout 10.1	ferro da stiro	*ferroo daastieroo*
strijken	stirare	*stieraaree*
strijkplank 7.3	tavolo da stiro	*taavooloo daastieroo*
stroming 12.2	la corrente	*laakoorentee*
stroom (elektr) 7.4	la corrente	*laakoorentee*
stroomversnelling 12.2	rapida	*raapiedaa*
stroop	lo zucchero caramellato	*lodzòekeeroo kaaraamellaatoo*
stropdas 10.3	cravatta	*kraavàataa*
studeren 3.1	studiare	*stoedieaaree*
stuk (kapot) 7.4	rotto	*ròotoo*
suiker 4.2	lo zucchero	*lodzòekeeroo*
suikerpatiënt 13.3	diabetico	*dieaabeetiekoo*
super(benzine) 5.5	super	*soeper*
supermarkt 10	supermercato	*soepermerkaatoo*
surfen 12.2	fare surf	*faaree surf*
surfplank 12.2	tavola da surf	*taavoolaa daasurf*

T

taai 4.4	duro	*doeroo*
taal 12.3	lingua	*lienggwaa*
taart	torta	*toortaa*
tabak	tabacco	*taabàakoo*
tablet 13.4	compressa	*koomprèssaa*
tafel 11.3	tavolino	*taavoolienoo*

S
T

tafeltennissen 3.7	giocare a ping-pong	dzjook*aa*ree aapieng-p*o*ng
talkpoeder	talco	t*aa*lkoo
tampons	i tamponi	ietaamp*oo*nie
tand 13.6	il dente	ield*e*ntee
tandarts 13.5	il dentista	ield*e*nti*e*staa
tandenborstel	lo spazzolino da denti	lospaatsool*ie*noo daad*e*ntie
tandenstoker 4.2	lo stuzzicadenti	lostoetsiekaad*e*ntie
tandpasta	dentifricio	denti*e*fri*e*tsjoo
tas (klein) 5.1, 5.2	borsetta	boors*è*tta
tas (groot) 5.1, 5.2	borsa	b*oo*rsaa
tasje (plastic) 10.1	busta	b*oe*staa
taxfreewinkel 6.5	negozio duty-free	nee*ĝ*ootsieoo djoeti*e*frie
taxistandplaats 6.7	posteggio dei taxi	poost*è*djoo deejt*aa*ksie
teen	dito (del piede)	d*ie*too (del pj*ee*dee)
tegen 1.6, 10.5	contro	k*oo*ntroo
tegenligger 14.6	veicolo che viene in senso contrario	vee-i*e*kooloo kee vj*ee*nee iens*e*nsoo koontr*aa*rieoo
tegenover 1.6	di fronte a	die fr*oo*ntee
tekenen (signeren) 8.1	firmare	fierm*aa*ree
telefoneren 7.1, 9.2	chiamare/telefonare	kjaam*aa*ree/teeleefoon-*aa*ree
telefonisch 9.2	per telefono	per teel*e*efoonoo
telefoniste 9.2	telefonista	teeleefoon*ie*staa
telefoon 9.2, 14.1	telefono	teel*e*efoonoo
telefooncel 5.6	telefono pubblico	teel*e*efoonoo pòeblie*koo*
telefoongids 9.2	elenco telefonico	eel*e*ngkoo teeleef*oo*n-iekoo
telefoonnummer 3.11, 14.1	numero di telefono	n*oe*meeroo die teel*e*ef-oonoo
telegram 9.1	il telegramma	ielteeleeĝr*àa*maa
telelens 10.4	teleobiettivo	teeleeoobj*e*tti*e*voo
televisie 7.4	il televisore	ielteeleeviez*oo*ree
telex 9.1	il telex	ielt*e*eleks
telkens	di continuo	die konti*e*nwoo
temperatuur 10.3, 12.2	temperatura	tempeeraat*oe*raa
tennisbaan 12.1	campo da tennis	k*aa*mpoo daat*e*nnies
tennisbal 12.1	palla da tennis	p*àa*laa daat*e*nnies
tennisracket 12.1	racchetta da tennis	raak*è*etaa daat*e*nnies
tennissen 12.1	giocare a tennis	dzjook*aa*ree aat*è*nnies
tent 7.2	tenda	t*e*ndaa
tentoonstelling 11.1	mostra	m*oo*straa

terras, op het *4.1*	all'aperto	*aalaapertoo*
teruggaan	ritornare	*rietoornaaree*
terugkomen *13.3*	ritornare	*rietoornaaree*
te veel *4.3, 4.5, 10.2*	troppo	*tròppoo*
tevreden *2.6, 3.8*	contento	*koontentoo*
theater *11.2*	teatro	*teeaatroo*
thee *4.7*	il tè	*ielte*
theelepel *4.2*	cucchiaino	*koekjaaienoo*
theepot *7.3*	teiera	*teejeeraa*
thermisch bad	le terme	*leetermee*
thermometer	termometro	*termoomeetroo*
thuis *3.10*	a casa	*aakaazaa*
ticket *6.4*	biglietto	*bieljèetoo*
tijd *3.2*	tempo	*tempoo*
tijdens *13.4*	durante	*doeraantee*
tijdschrift	rivista	*rieviestaa*
toast *4.7*	il pane tostato	*ielpaanee toostaatoo*
tocht (uitstapje) *11.1*	gita	*dzjietaa*
tochten *7.4*	esserci corrente	*èsseertsjie koorentee*
tochtje *3.7*	gita	*dzjietaa*
toegang *11.1*	ingresso	*ienĝĝrèssoo*
toegangsprijs *11.1*	prezzo del biglietto	*prètsoo del bieljèetoo*
toeristenklasse	la classe turistica	*laaklàasee toeriestiekaa*
toeristenmenu *4.2*	il menù turistico	*ielmeenoe toeriestiekoo*
toeslag *6.2*	supplemento	*soepleementoo*
toilet *4.1, 7.3*	bagno	*baanjoo*
toiletartikelen	gli articoli da toletta	*ljieaartiekoolie daatool-èetaa*
toiletpapier *4.4, 7.4*	carta igienica	*kaartaa iedzjeeniekaa*
tolk *14.6*	interprete (m/v)	*ienterpreetee*
tomatenketchup *4.2, 10.2*	il ketchup	*ielketsjup*
tomatenpuree *10.2*	estratto di pomodoro	*estràatoo die poomood-ooroo*
toneel *11.2*	teatro	*teeaatroo*
toneelstuk	opera teatrale	*oopeeraa teeaatraalee*
tong (vis) *4.6*	sogliola	*soljoolaa*
tong	lingua	*lienĝwaa*
tonic *4.2, 10.2*	acqua tonica	*àakwaa tooniekaa*
tonijn *4.6, 10.2*	tonno	*tònoo*
toost *4.6*	il brindisi	*ielbriendiezie*
toren	la torre	*laatòoree*
totaal *1.4*	totale	*tootaalee*
touw *5.6, 10.1*	corda	*kordaa*
trap *7.4*	scala	*skaalaa*

trein 6.1	treno	*treenoo*
treinkaartje 6.6	biglietto (del treno)	*bieljèetoo deltreenoo)*
trekken (kies) 13.5	estrarre (un dente)	*estràaree (oendentee)*
trektocht 11.1	giro a piedi	*dzjieroo aapjeedie*
trottoir	il marciapiede	*ielmaartsjaapjeedee*
trouwen 3.1	sposarsi	*spoozaarsie*
trui 10.3	il maglione	*ielmaaljoonee*
tube 10.2	tubetto	*toebèttoo*
tuin	giardino	*dzjaardienoo*
tunnel	galleria	*ĝaaleerieaa*
tussenlanding 6.4	lo scalo	*loskaaloo*
tv	la TV	*laatievoe*
tweede 1.4	secondo	*seekoondoo*
tweedehands 10.1	usato	*oezaatoo*
tweepersoons 7.3	doppio	*dòopjoo*

U

u	Lei	*lej*
ui	cipolla	*tsjiepòolaa*
uiterlijk (niet later dan)	massimo	*màasiemoo*
uitgaan 3.7, 11.2	uscire	*oesjieree*
uitgaansgelegenheid 11.2	il locale notturno	*iel lookaalee nottoernoo*
uitgang	uscita	*oesjietaa*
uitkleden 13.3	spogliare	*spooljaaree*
uitleggen	spiegare	*spjeeĝaaree*
uitnodigen 3.7	invitare	*ienvietaaree*
uitrusten	riposare	*riepoozaaree*
uitspreken	pronunciare	*proonoentsjaaree*
uitstapje 11.1	gita	*dzjietaa*
uitstappen 5.9, 6.7	scendere	*sjeendeeree*
uitstekend 2.1	eccellente	*etsjeelentee*
uitverkoop 10.1	i saldi	*iesaaldie*
uitwendig 13.4	esterno	*esternoo*
uitzicht 7.3	il panorama	*ielpaanooraamaa*
universiteit	università	*oenieversietaa*
urine 13.3	orina	*oorienaa*
uur 1.3	ora	*ooraa*

V

vader 3.1	il padre	*ielpaadree*
vagina 13.2	vagina	*vaadzjienaa*

vaginale infectie *13.2*	infezione (v) vaginale	*ienfeetsieoonee vaadz-jienaalee*
vakantie *2.1*	le vacanze	*leevaakaantsee*
vallei	la valle	*laavàalee*
vallen *13.2, 14.3*	cadere	*kaadeeree*
vanavond *1.1, 3.7*	stasera	*staaseeraa*
vandaag *1.1, 3.7*	oggi	*òdzjie*
vanmiddag *1.1, 3.7*	questo pomeriggio	*kweestoo poomeerìedzjoo*
vanmorgen *1.1, 3.7*	stamattina	*staamaatienaa*
vannacht *1.1, 3.7*	stanotte	*staanòttee*
varkensvlees *4.2*	la carne di maiale	*laakaarnee die maajaalee*
vaseline	vaselina	*vaazeelienaa*
veel	molto	*mooltoo*
vegetariër *4.2*	vegetariano	*veedzjeetaarieaanoo*
veilig *12.2*	sicuro	*siekoeroo*
veiligheidsspeld	spilla di sicurezza	*spielaa die siekoerèetsaa*
verantwoordelijk	responsabile	*responsaabielee*
verband *13.4*	fascia	*faasjaa*
verbandgaas *10.1*	garza idrofila	*ĝaartsaa iedroofielaa*
verbinding *6.1*	collegamento	*kooleeĝaamentoo*
verblijf *7.3*	soggiorno	*soodzjoornoo*
verboden *12.2*	vietato	*vjeetaatoo*
verdieping *7.3*	piano	*pjaanoo*
verdoven *13.6*	anestetizzare	*aanesteetiedzaaree*
verdrietig *2.6*	triste	*triestee*
verdwalen *14.5*	perdersi	*perdeersie*
verf *10.1*	vernice	*vernietsjee*
vergeten *4.4, 13.4, 14.2*	dimenticare	*diementiekaaree*
vergissen (zich)	sbagliare	*zbaaljaaree*
vergissing *4.4*	lo sbaglio	*lozbaaljoo*
verguld	dorato	*dooraatoo*
vergunning *12.1, 12.2*	licenza	*lietsjentsaa*
verhuren *5, 7*	affittare	*aafietaaree*
verjaardag *3.3*	compleanno	*koompleeàanoo*
verkeer *5*	traffico	*tràafiekoo*
verkeerd *2.3*	sbagliato	*zbaaljaatoo*
verkeerslicht	semaforo	*seemaafooroo*
verkoopster *10*	commessa	*koomèesaa*
verkoudheid *13.2*	il raffreddore	*ielraaffreedooree*
verkrachting *14.6*	lo stupro	*lostoeproo*
verliefd zijn op *3.9*	essere innamorato di	*èsseeree ienaamooraatoo die*

verlies *14.2*	perdita	p*e*rdiet*aa*
184 **verliezen** *14.2*	perdere	p*e*rde*e*ree
vermissing (voorwerp)	smarrimento	zmaar*ie*m*e*ntoo
vermist zijn *14.6*	essere disperso	*è*sse*e*ree disp*e*rsoo
verpleegster *13*	infermiera	ienferm*jee*raa
verplicht *11.2*	obbligatorio	oobli*e*g*aa*t*oo*rieoo
verrassing	sorpresa	sorpr*ee*zaa
vers *4.4, 4.7*	fresco	fr*ee*skoo
verschonen (baby)	cambiare	k*aa*mbj*aa*ree
versieren (iem) *3.9*	fare la corte (a qualcu-no)	f*aa*ree laak*oo*rtee (aa kw*aa*lk*oe*noo)
versleten *7.4*	logoro	loo*ğoo*roo
versnelling *5.4*	acceleratore (m)	aatsj*ee*le*e*raat*oo*ree
verstaan *2.5, 9.2*	capire	k*aa*p*ie*ree
versturen *9.1*	spedire	speed*ie*ree
vertalen *3, 14*	tradurre	traad*òe*ree
vertraging *6.1*	ritardo	riet*aa*rdoo
vertrek *7.5*	partenza	p*aa*rtentsaa
vertrekken	partire	p*aa*rt*ie*ree
vertrektijd *6.4*	ora di partenza	*oo*raa die p*aa*rtentsaa
vervelen, zich *2.6*	annoiarsi	aanoojaarsie
verversen (olie) *5.5*	cambiare (l'olio)	k*aa*mbj*aa*ree (l*oo*lieoo)
verwachting (in) *6, 13*	incinta	ientsj*ie*ntaa
verwarming *7.3, 7.4*	riscaldamento	rieskaaldaam*e*ntoo
verwisselen *5.6*	cambiare	k*aa*mbj*aa*ree
verzekering *5.6, 5.8, 14.3*	assicurazione (v)	aasiek*oe*raatsie*oo*nee
verzwikken *13.2*	storcere	st*o*rtsjeeree
vet *4.2, 10.5*	grasso	*ğrà*asoo
veter *10.3*	laccio	l*àa*tsjoo
via *1.6*	per	peer
viaduct *5.0*	viadotto	vieaad*òo*too
videoband *10.4*	nastro video	n*aa*stroo v*ie*deeoo
videorecorder	il videoregistratore	ielv*ie*deeoor*ee*dz-jiestraat*oo*ree
vierkant	quadrato	kw*aa*draa*too*
vierkante meter	metro quadro	m*ee*troo kw*aa*droo
vies *2.6, 7.4*	sporco	sp*o*rkoo
vijver	lo stagno	lost*aa*njoo
vinden *14.2*	trovare	troov*aa*ree
vinger *13.2*	dito	d*ie*too
vis *4.2*	il pesce	ielp*ee*sjee
visite *3.7*	visita	v*ie*zietaa
vissen *3.5, 12.2*	pescare	peesk*aa*ree
visum *5.1*	visto	v*ie*stoo

vitaminetabletten	le pasticche di vitamine	*leepaastiekee die vietaamienee*
vla	crema	*kreemaa*
Vlaamse *3.1*	fiamminga	*fjaamiengĝaa*
Vlaanderen *3.1*	Fiandra	*fjaandraa*
vlag *12.2*	bandiera	*baandie-eeraa*
Vlaming *3.1*	fiammingo	*fjaamiengĝoo*
vlees *4.2*	la carne	*laakaarnee*
vleeswaren *4.7*	gli affettati	*ljieaafeetaatie*
vlek	macchia	*màakjaa*
vlekkenmiddel *10.1*	lo smacchiatore	*lozmaakjaatooree*
vlieg *7.4*	mosca	*mooskaa*
vliegen (vliegtuig) *6.5*	andare in aereo	*aandaaree ien aaee-reeoo*
vliegtuig *6.4*	aeroplano	*aaeerooplaanoo*
vliegveld *6.5, 6.7*	aeroporto	*aaeerooportoo*
vloed *12.2*	alta marea	*aaltaa maareeaa*
vloei	le cartine	*leekaartienee*
vlooienmarkt *10.1, 11.1*	mercato delle pulci	*merkaatoo dèelee poeltsjie*
vlucht *6.3*	volo	*vooloo*
vluchtnummer *6.5*	numero del volo	*noemeeroo deelvooloo*
vlug	presto	*prestoo*
voedsel *10.1*	cibo	*tsjieboo*
voedselvergiftiging *13.3*	intossicazione (v) alimentare	*ientossiekaatsieoonee aaliementaaree*
voelen *13.2*	sentire	*sentieree*
voet *13.2*	il piede	*ielpjeedee*
voetballen, het *12.1*	calcio	*kaaltsjoo*
voetbalwedstrijd *11.2*	partita di calcio	*paartietaa diekaaltsjoo*
vol *5.5*	pieno	*pjeenoo*
volgen *5.0*	seguire	*seeĝwieree*
volgende *1.1, 2.13.7*	prossimo	*pròssiemoo*
volkorenbrood *10.1*	il pane integrale	*ielpaanee ienteeĝraalee*
volleyballen *3.7, 12.1*	giocare a pallavolo	*dzjookaaree aapaal-aavooloo*
voor (plaats) *1.6*	davanti a/dinanzi a	*daavaantie aa/die-naantsie aa*
voor (tijd) *1.6*	prima di	*priemaa die*
vooraan *11.3*	nelle prime file	*nèelee priemee fielee*
voorbehoedmiddel *10.1, 13.2*	anticoncezionale (m)	*aantiekoontsjeetsieoon-aalee*
voorin *6.3*	di fronte	*diefroontee*
voorkeur geven aan *2.6*	preferire	*preefeerieree*

voorrang *5*	preferenza	*preefeer<u>e</u>ntsaa*
voorstellen, zich (aan)	presentarsi	*preezent<u>aa</u>rsie*
voorstellen, zich (iets)	immaginarsi	*iemaadzjien<u>aa</u>rsie*
voorstelling *11.2, 11.3*	lo spettacolo	*lospett<u>aa</u>kooloo*
voortreffelijk *4.5*	ottimo	*<u>ò</u>ttiemoo*
voorzichtig *14.1*	attenzione	*aatentsie<u>oo</u>nee*
vorig *1.1*	scorso	*sk<u>oo</u>rsoo*
vork *4.2*	forchetta	*foork<u>è</u>ttaa*
vouwwagen *7.2*	il carrello tenda	*ielkaar<u>è</u>lloo t<u>e</u>ndaa*
vraag *2.2*	domanda	*doom<u>aa</u>ndaa*
vrachtwagen *5.8*	il camion	*ielk<u>aa</u>mjon*
vragen (verzoeken)	pregare	*pree<u>g</u>aaree*
vragen *2.2, 3.2*	chiedere	*kj<u>ee</u>deeree*
vriend *3.1*	amico	*aam<u>ie</u>koo*
vriendelijk *2.4*	gentile	*dzj<u>e</u>ntielee*
vriendin *3.1*	amica	*aam<u>ie</u>kaa*
vriezen *1.5*	gelare	*dzjeel<u>aa</u>ree*
vrij	libero	*l<u>ie</u>beeroo*
vrijdag *1.1*	il venerdì	*ielveenerdie*
vrije tijd *3.5*	tempo libero	*t<u>e</u>mpoo l<u>ie</u>beeroo*
vrijen *3.9*	fare l'amore	*f<u>aa</u>ree laam<u>oo</u>ree*
vrijgezel *3.1*	lo scapolo/il/la celibe	*losk<u>aa</u>pooloo/iel/laa tsj<u>ee</u>liebee*
vroeg *1.3*	presto	*pr<u>e</u>stoo*
vrouw (echtgenote) *3.1*	la moglie	*laam<u>oo</u>ljee*
vrouw	donna	*d<u>ò</u>nnaa*
vrouwenarts *13*	ginecologo	*dzjieneek<u>oo</u>loo<u>g</u>oo*
vruchtensap *4.7*	succo di frutta	*s<u>è</u>ekoo dief<u>rò</u>etaa*
vuil *4.4, 7.4*	sporco	*sp<u>o</u>rkoo*
vuilniszak *10.1*	sacco per i rifiuti	*s<u>àa</u>koo per ieriefj<u>oe</u>tie*
vulkaan	vulcano	*voelk<u>aa</u>noo*
vullen (kies) *13.5*	otturare (un dente)	*ootoer<u>aa</u>ree (oend<u>e</u>ntee)*
vulling (kies) *13.5*	otturazione (v)	*ootoeraatsie<u>oo</u>nee*
vulling (hartig) *10.2*	ripieno	*riepj<u>ee</u>noo*
vulling (zoet) *10.2*	farcia	*f<u>aa</u>rtsjaa*
vuur	fuoco	*fw<u>oo</u>koo*
vuurtje hebben *12.2*	avere d'accendere	*aav<u>ee</u>ree daatsj<u>e</u>ndeeree*
vuurtoren	faro	*f<u>aa</u>roo*
VVV-kantoor *11.1*	ufficio informazioni turistiche	*oef<u>ie</u>tsjoo ienfoormaat-sie<u>oo</u>nie toeri<u>e</u>stiekee*

waar? 2.2	dove?	doovee?
waarom? 2.2	perché?	perkee?
waarschijnlijk 3.1	probabilmente	proobaabielmentee
waarschuwen 5.6, 14.1	avvisare/chiamare	aaviezaaree/kjaamaar-ee
waarschuwing 1.7, 14	avviso	aaviezoo
wachten	aspettare	aaspettaaree
wachtkamer 13.3	sala d'attesa	saalaa daateezaa
wagon 6.6	il vagone	ielvaagoonee
wakker	sveglio	sveeljoo
wandelen 3.5	fare una passeggiata	faaree oenaa paaseedz-jaataa
wandeling	passeggiata	paaseedzjaataa
wandelroute 11.1	itinerario a piedi	ietieneeraarieoo aapjeedie
wandelsport	podismo	poodiezmoo
wanneer? 2.2	quando?	kwaandoo?
warenhuis 10	gran magazzino	graan maagaadzienoo
warm 1.5, 4.2	caldo	kaaldoo
was (wasgoed) 7.2, 7.3	bucato	boekaatoo
wasknijper 7.2, 7.3	molletta da bucato	mollèetaa daaboekaat-oo
waslijn 7.2, 7.3	corda del bucato	kordaa delboekaatoo
wasmachine 7.2	la lavatrice	laalaavaatrietsjee
wasmiddel 10.1	detersivo	deetersievoo
wassen 7.2, 10.3, 10.5	lavare	laavaaree
wasserette	lavanderia	laavaandeerieaa
wat? 2.2	che (cosa)?	kee (koozaa)?
water 4.2, 5.4, 12.2	acqua	àakwaa
waterdicht 7.2	impermeabile	iempermeeaabielee
watergolven 10.5	ondulare	oondoelaaree
waterskiën	fare lo sci nautico	faaree losjie nautiekoo
waterval 12.2	cascata	kaaskaataa
watten	il cotone idrofilo	ielkootoonee iedroofieloo
w.c. 7.2, 7.3	gabinetto	gaabienèttoo
wedstrijd 11.1	partita	paartietaa
week 1.1, 2.1	settimana	seetiemaanaa
weekend 3.10	il fine-settimana	ielfienee seetiemaanaa
weekenddienst 13.1	servizio di fine-settimana	servietsieoo diefienee seetiemaanaa
weer, het 1.5, 3.4	tempo	tempoo

weerbericht *1.5*	bollettino meteorologico	*booleetienoo meeteeoorooloodzjiekoo*
weg (zn) *5.0*	strada	*straadaa*
weg (kwijt) *14.2*	perduto/perso	*perdoetoo/persoo*
wegenwacht *5.6*	soccorso stradale	*sookoorsoo straadaalee*
weinig	poco	*pookoo*
wekken *7.3*	svegliare	*zveeljaaree*
wekker *7.3, 10.1*	sveglia	*zveeljaa*
welk? *2.2*	quale?	*kwaalee?*
welkom *3.11*	benvenuto	*benveenoetoo*
welterusten *2.1*	sogni d'oro	*soonjie dooroo*
werk *3.1*	lavoro	*laavooroo*
werkdag *1.1*	giorno feriale	*dzjoornoo feerieaalee*
wesp *7.4, 13.2*	vespa	*vespaa*
west *1.6*	ovest	*oovest*
weten *2.3, 2.5*	sapere	*saapeeree*
wie? *2.2*	chi?	*kie?*
wiel *5.4, 5.7*	ruota	*rwootaa*
wij	noi	*nooj*
wijn *4.2*	vino	*vienoo*
wijnkaart *4.2*	lista dei vini	*liestaa deejvienie*
wijzen *2.2*	indicare	*iendiekaaree*
wijzigen	cambiare	*kaambjaaree*
wind *3.4*	vento	*ventoo*
windscherm	paravento	*paaraaventoo*
winkel *10*	negozio	*neegootsieoo*
winkelcentrum *10*	centro commerciale	*tsjentroo koomertsjaalee*
winter *1.1*	inverno	*ienvernoo*
wisselen *8.1, 9.1*	cambiare	*kaambjaaree*
wisselgeld (pasmunt)	monete	*mooneetee*
wisselgeld (geld terug)	resto	*restoo*
wisselkantoor *8.1*	agenzia di cambio	*aadzjentsieaa diekaambjoo*
wisselkoers *8.1*	corso dei cambi	*koorsoo deejkaambie*
wit	bianco	*bjaangkoo*
witlof	insalata belga	*iensaalaataa belgaa*
woensdag *1.1*	il mercoledì	*ielmerkooleedie*
wol *10.3*	lana	*laanaa*
wond *13.2*	ferita	*feerietaa*
wonen *3.1*	abitare	*aabietaaree*
woord *9.1*	parola	*paaroolaa*
woordenboek	dizionario	*dietsieoonaarieoo*
worst	salsiccia	*saalsietsjaa*
wortel	carota	*kaarootaa*

yoghurt   lo iogurt   *lojjooğoert*

Z

zaal (in theater) *11.3*	platea	*plaateeaa*
zakdoek	fazzoletto	*faatsoolèttoo*
zakenreis *5.1*	viaggio d'affari	*vjàadzjoo daafaarie*
zakmes *10.1*	temperino	*tempeerienoo*
zalf *13.4*	pomata	*poomaataa*
zandstrand *12.2*	spiaggia di sabbia	*spjàadzjaa diesàabjaa*
zaterdag *1.1*	sabato	*saabaatoo*
zebrapad *5*	le zebre	*leedzeebree*
zee *12.2*	il mare	*ielmaaree*
zeep	il sapone	*ielsaapoonee*
zeeppoeder *10.1*	il sapone in polvere	*ielsaapoonee ienpoolveeree*
zeeziek zijn	avere il maldimare	*aaveeree ielmaaldiemaaree*
zeggen *13.3*	dire	*dieree*
zeilboot	barca a vela	*baarkaa aaveelaa*
zeilen	fare della vela	*faaree dèelaa veelaa*
zelfde	stesso	*stèesoo*
zelfontspanner	autoscatto	*autooskàatoo*
ziek *13.2*	malato	*maalaatoo*
ziekenauto *14.1*	ambulanza	*aamboelaantsaa*
ziekenfonds *13.3*	mutua	*moetwaa*
ziekenhuis *13.3*	ospedale (m)	*ospeedaalee*
ziekte *13*	malattia	*maalaatieaa*
zilver	argento	*aardzjentoo*
zin hebben *3.7*	piacere	*pjaatsjeeree*
zin (woorden)	la frase	*laafraazee*
zitplaats *6.3*	posto a sedere	*poostoo aaseedeeree*
zitten *3.2*	sedere	*seedeeree*
zoek zijn (kwijt) *14.2*	essere smarrito	*èsseeree zmaarietoo*
zoeken *14.5*	cercare	*tsjeerkaaree*
zoet *4.2*	dolce	*dooltsjee*
zoetjes (zn) *4.7*	le saccarine	*leesaakaarienee*
zomer *1.1*	estate (v)	*estaatee*
zomertijd	ora legale	*ooraa leeğaalee*
zon *7.2*	il sole	*ielsoolee*
zondag *1.1*	domenica	*doomeeniekaa*

zonnebaden *12.2*	prendere il sole	*prendeeree ielsoolee*
zonnebrandcrème	crema solare	*kreemaa soolaaree*
zonnebril *10.1, 12.2*	gli occhiali da sole	*ljieokkjaalie daasoolee*
zonnehoed *10.1, 12.2*	cappello di paglia	*kaapèlloo diepaaljaa*
zonnescherm *7.4*	tenda da sole	*tendaa daasoolee*
zonnesteek *13.2*	insolazione (v)	*iensoolaatsieoonee*
zonsondergang *3.7*	tramonto	*traamoontoo*
zonsopgang *3.7*	alba	*aalbaa*
zool *10.3*	suola	*swoolaa*
zoon *3.1*	figlio	*fieljoo*
zout (zn)	il sale	*ielsaalee*
zuid *1.6*	sud	*soed*
zuivel *10.3*	i latticini	*ielaatietsjienie*
zuiveringszout *10.1*	bicarbonato di soda	*biekaarboonaatoo diesoodaa*
zure room *10.3*	panna da cucinare	*pàanaa daakoetsjienaaree*
zus *3.1*	sorella	*soorèllaa*
zuur *4.2*	all' aceto	*aalaatsjeetoo*
zwaar (tabak)	forte	*foortee*
zwaar	pesante	*peezaantee*
zwak	debole	*deeboolee*
zwanger *13.3*	incinta	*ientsjientaa*
zwart	nero	*neeroo*
zweefvliegen	praticare il deltaplano	*praatiekaaree ieldeltaaplaanoo*
zweer *13.2*	ulcera	*oeltsjeeraa*
zweet *6.3*	il sudore	*ielsoedooree*
zwembad *7.1, 12.2*	piscina	*piesjienaa*
zwembroek *12.2*	lo slip/le mutandine da bagno	*lozliep/leemoetaandienee daabaanjoo*
zwemmen *3.7, 12.2*	nuotare/fare il bagno	*nwootaaree/faaree ielbaanjoo*

1 Zelfstandige naamwoorden

Het Italiaans kent mannelijke en vrouwelijke zelfstandige naamwoorden.
Een vuistregel is:

	enkelvoud	meervoud
mannelijk	-o	-i
vrouwelijk	-a	-e
mannelijk of vrouwelijk	-e	-i

2 Lidwoorden

Bepaald (de, het)

	enkelvoud	meervoud
mannelijk	il, l', lo	i, gli
vrouwelijk	la, l'	le

Onbepaald (een)

mannelijk	un, uno
vrouwelijk	una, un'

3 Bijvoeglijke naamwoorden

In het algemeen staan de bijvoeglijke naamwoorden achter het zelfstandig naamwoord. Er zijn bijvoeglijke naamwoorden die dezelfde uitgang krijgen als het zelfstandig naamwoord:

	enkelvoud	meervoud
mannelijk	il ragazzo è piccolo	i ragazzi sono piccoli
vrouwelijk	la ragazza è piccola	le ragazze sono piccole

Er zijn ook bijvoeglijke naamwoorden die zowel bij mannelijke als bij vrouwelijke zelfstandige naamwoorden in het enkelvoud de uitgang -e en in het meervoud de uitgang -i hebben:

	enkelvoud	meervoud
mannelijk	il cappello verde	i cappelli verdi
vrouwelijk	la scarpa verde	le scarpe verdi

4 Persoonlijke voornaamwoorden

Gewoonlijk worden de persoonlijke voornaamwoorden niet gebruikt, tenzij er nadruk op valt. Alleen 'Lei' (U) komt men regelmatig tegen zonder dat er nadruk op valt.

5 Werkwoorden

Het Italiaans kent drie hoofdgroepen van regelmatige werkwoorden:
a. werkwoorden op -are, voltooid deelwoord op -ato
b. werkwoorden op -ere, voltooid deelwoord op -uto
c. werkwoorden op -ire, voltooid deelwoord op -ito

Vervoeging van de tegenwoordige tijd:
a. parlare (praten)

ik praat	(io) parlo
jij praat	(tu) parli
hij/zij/u praat	(lui/lei/Lei) parla
wij praten	(noi) parliamo
jullie praten	(voi) parlate
zij praten	(loro) parlano

b. vedere (zien)	c.1 partire (vertrekken)	c.2 capire
vedo	parto	capisco
vedi	parti	capisci
vede	parte	capisce
vediamo	partiamo	capiamo
vedete	partite	capite
vedono	partono	capiscono

6 Voorzetsels

De voorzetsels a, in, di, da en su worden samengetrokken met het bepaald lidwoord. Voorbeelden:

a + il - al   da + gli - degli
in + la - nella   su + le - sulle
di + lo - dello